© 1996 dr. Eduard Estivill e Sylvia de Béjar
Titolo originale: *Duérmete, niño*

Prima edizione spagnola
Plaza & Janés Editores, S.A. - Barcelona
aprile 1997

Edizione italiana
© 1999 Mandragora
40a ristampa

Mandragora s.r.l.
piazza Duomo 9, 50122 Firenze
www.mandragora.it

Traduzione dallo spagnolo
Ana Ortiz Fernández

Consulenza scientifica per l'edizione italiana
dr. Anna Maria Bellotti

Stampato in Italia
ISBN 978-88-85957-30-5

Eduard Estivill
Sylvia de Béjar

Fate la nanna

il semplice metodo
che vi insegna
a risolvere per sempre
l'insonnia del vostro bambino

Mandragora

Sommario

Premessa

Una coppia alla disperazione: "Dite che questo libro riuscirà a risolverci la vita? Con tutti i consigli che ci hanno dato fin qui per farlo/la dormire? Mah…"

Gli autori: "*Chi si loda s'imbroda*, recita un abusato proverbio: siamo i meno indicati a parlar bene del nostro metodo. Per fortuna ci soccorre una statistica secondo la quale i sistemi da noi suggeriti hanno successo nel 96% dei casi. Incoraggiante, vero? Ora migliaia di piccoli esagitati notturni dormono come ghiri. E anche i loro genitori."

Una coppia che ha appena avuto un bambino: "Perché fasciarsi la testa prima di essersela rotta? In altre parole, non è inutile leggere un libro del genere quando poi, magari, lei/lui non ci darà mai problemi?"

Gli autori: "Tutti i genitori sono ottimisti. Nella loro rosea immaginazione lui/lei si farà una bella dormita filata tutta la notte e per tutte le sante notti di questo mondo. Una piccola obiezione: perché, prima di uscire in Italia, questo libro ha già venduto (e continua a vendere) milioni di copie in vari paesi del mondo? Non dipenderà dal fatto che l'insonnia infantile è drammaticamente diffusa? Se non vi preparate ad affrontare il problema con conoscenza di causa, insegnandole/gli a dormire fin dall'inizio, andrete probabilmente incontro a una piccola ma spiacevolissima odissea domestica."

"Come? Il sonno si insegna?", vi sentiamo già replicare. Andate avanti e vedrete.

Capitolo I

**"Il bambino è sempre sveglio… e noi con lui",
ovvero ciò che capita a chi non dorme abbastanza**

Mettiamo di comprare un elettrodomestico anche semplice semplice, tipo uno spremiagrumi: il commesso del negozio ci spiega come fare a usarlo e, non contento, ci dà perfino il libretto delle istruzioni per fugare qualsiasi nostro dubbio residuo. C'è di più: nella sua efficiente cortesia professionale non gli passa neanche per la testa di darci un libretto della Zumox quando abbiamo preferito uno spremiagrumi della Exprimex. E neppure di affibbiarci il piccolo vademecum che basta e avanza per il modello 1996 quando, colti da mania di grandezza, abbiamo optato per il megarobottone *high-tech* capace di spremere ananas e pigne verdi.

Ma quando 'compriamo' un neonato, una di queste cosine tanto fragili eppur tanto meritevoli di amore e di rispetto, non un'ombra di commesso che ci porga con un sorriso il libretto delle istruzioni. E sì che i bambini sono un po' più antichi degli spremiagrumi... Ecco la cruda realtà: usciamo dal reparto maternità con il nostro esserino tra le braccia e torniamo a casa pieni di entusiasmo e di buone intenzioni, pronti a fare del nostro meglio e convinti che in qualche modo ce la caveremo. Purtroppo non è sempre così, soprattutto per quanto riguarda il sonno.

Vediamo insieme la situazione tipo. I primi tempi tutto procede alla bell'e meglio: moglie e marito non chiudono occhio e ballano giorno e notte al ritmo del nuovo venuto. Nessuno, però, si lamenta: non viene forse fatto di accettare con rassegnazione qualche disagio in cambio del lieto evento? Se si dorme poco e male, pazienza; sarà questione di qualche settimana. "Non è mica la fine del mondo", ci diciamo. Siamo un po' inquieti, è vero, ma cerchiamo di convincerci sfoderando il solito ottimismo, la solita buona volontà. "Di qui a poco andrà tutto a meraviglia. Ieri ho trovato la Casiraghi. Lo sai che al terzo mese i loro bambini dormivano come massi?" I Casiraghi ne hanno sette, di figli: quale miglior prova che il tempo, questo guaritore universale, risolverà ben presto ogni problema?

Ma... e se nel nostro caso la faccenda si rivelasse più spinosa? Se, putacaso, la nostra Camilla smentisse clamorosamente i sette (anzi, i nove) Casiraghi e, allo scoccare del sospirato secondo trimestre, perseverasse nel suo tragico andazzo (notte dopo notte tre, quattro, cinque e più tragici risvegli, in mezzo alla costernazione esasperata dell'intera famiglia)?

Succede proprio questo, ahimè. Nella quiete perfetta delle due e trentacinque del mattino, ecco che Camilla comincia a muoversi; qualche attimo di attesa snervante e, puntuale come una cattiva notizia, si ode un confuso piagnucolio, che presto degenera in bizza rabbiosa. Per la cinquecentounesima volta dall'inizio dell'odissea mamma e papà si alzano insieme o a turno e, trascinando i piedi come anime del purgatorio, si accostano alla culla, accarezzano la bambina, le fanno bere due o tre cucchiaini d'acqua; poi Giulia la allatta o Mario le somministra il biberon. La prendono in collo, le parlano con voce sommessa, le cantano una ninna nanna, la cullano…

Dopo qualche minuto Camilla risprofonda nel sonno. Sospiri di sollievo. Passa un'ora (un'ora e mezza, due forse) e la scena si ripete.

"Che succede?", si chiedono disperati Mario e Giulia. "Dove abbiamo sbagliato?" "Non avrà mica qualcosa?" "Sarà troppo viziata?" "Si sentirà poco amata?" "Sarà lo stress da separazione (tra madre e figlio, s'intende)?"

Di solito quest'ultima riflessione ad alta voce – frutto della lettura di almeno sei o sette libri del tipo *Come allevare un figlio perfetto in un mondo imperfetto*, *Diventa mamma ideale in trentasette lezioni* e *Tendenze suicide nei genitori del neonato piagnone* – fiorisce sulla bocca della mamma, che il marito si limita ad ascoltare con aria vagamente allucinata.

Grazie al cielo giunge in soccorso la vicina del quarto piano, ben nota per il suo spirito missionario: "Alla Zuccoli (sapete, quella giù del primo piano) è successa la stessa cosa. Non preoccupatevi, tra un po' la vostra Camillina dormirà come un angelo. Sarà la colichetta… Ma siete proprio sicuri che non abbia fame? È asciutta?"

I due poveretti intravedono finalmente uno spiraglio di luce sotto forma di pietosa giustificazione: "La colica, già, la colica, come non averci pensato prima? Non appena saranno passate dormirà come un angelo. Poverina, come devi soffrire: vieni qui in collo dalla mamma." Le cui occhiaie sarebbero ormai capaci di trapelare sotto quattro strati di fondotinta, mentre il papà trasferisce quotidianamente in ufficio, con virile fermezza, le proprie borse violacee.

Se pensate che finisca qui vi sbagliate di grosso. E allora? Allora niente "povera piccola": poveri genitori, piuttosto. Finita la storia delle coliche comincia con tutta probabilità quella della prima dentizione. "Come vuoi che dorma se soffre tanto?"; dopo questa scusa (peraltro indimostrabile) arriverà un nuovo, gettonatissimo motivo: "Vedrai che quando comincia a camminare il problema si risolve da solo. A forza di correre tutto il giorno, la sera non ne potrà più." Macché: dopo aver fatto più chilometri del mitico maratoneta Abebe Bikila (e noi dietro affannati ed esausti, ovvio), Camilla inscenerà il solito dramma all'ora di andare a letto. Lei fresca come una rosa, gli occhi belli sbarrati, senza dare il minimo segno di cedimento. E noi? Che altro dire, santo cielo? Quale altra giustificazione trovare?

Potremmo proseguire a scusarla eternamente: quando si sarà abituata a dormire senza succhiotto, quando avrà imparato a farlo senza pannolino, quando comincerà ad andare all'asilo…

E così nei secoli dei secoli; anzi no, perché alla fine una remota scappatoia esiste: "Non preoccuparti, tesoro, il giorno che si sposa dormiremo tranquilli." "Proprio! Dopo, che se la veda suo marito." Povera piccola, ha due anni e la vorrebbero già di ventidue.

Come se tutta questa teoria di orrori domestici non bastasse intervengono altri fattori complementari e non meno destabilizzanti: i consigli, le critiche e i commenti assortiti di nonni, fratelli, amici e vicini. Perché tutti si credono in diritto di dire la loro guardandoci come esseri inutili o, diciamolo chiaro e tondo, come cattivi genitori? Per esempio, chi non ha mai sentito lo squallido aforisma "i genitori di oggi non sanno più educare, ed eccone le conseguenze" o altre amenità del genere? E i due disgraziati muti come pesci per la mortificazione; a meno, beninteso, che la suocera (la vicina, la commessa, il tassista o chi altro) non passi il limite della decenza e finisca strangolata dalla coppia ormai fuori della grazia di Dio. Occhio: un legale di grido ci conferma che neppure l'attenuante della momentanea infermità mentale basta a evitare diversi annetti di galera. Mani ferme e nervi saldi, dunque.

Come mai siamo portati a credere che chiunque ne sappia più di noi? Sta di fatto che, alla caccia del tanto atteso miracolo, gli sventurati accettano qualsiasi consiglio. Si sentono dire: "Provate con le erbe"; e giù infusi, pozioni e polverine varie, per la gioia dell'erborista giù all'angolo. In seno al parentado si dichiara soddisfatto di questa scelta soprattutto il cugino Antonio, un ecologista della prima ora sensibilissimo al canto delle sirene della medicina alternativa, mentre lo zio Cesare, che sopporta stoicamente i suoi feroci mal di capo piuttosto che mandar giù uno straccio di antinevralgico, sfoggia un benevolo scetticismo ("Per lo meno, la valeriana non ha mai ammazzato nessuno!").

Si sentono raccomandare: "Lasciatela piangere finché non si addormenta." Ed ecco Mario e Giulia sposare la causa della resistenza a oltranza, cedendo solo dopo varie notti costellate di crisi isteriche e due denunce del vicino di casa (la prima per molestie; la seconda, più velenosa, per presunti maltrattamenti nei confronti di un minore).

Si sentono consigliare: "Fatele sentire un po' di musica classica." E di colpo l'appartamento è invaso dalle liquide note di un Notturno di Chopin, mentre Giulia adora salsa e merengue e Mario è un noto cultore del free jazz.

Si sentono incoraggiare: "Portatela a fare un giro in macchina." Vai allora, Mario: agganciati la cintura di sicurezza alle tre del mattino, con Giulia sul sedile posteriore che tiene in collo l'eternamente vispa Camilla. Andate pure: tu in pigiama e tua moglie in camicia da notte e golfino rosa, mentre da qualche veneziana semiaperta si sente bisbigliare: "Pazzi, pazzi furiosi... Certa gente dovrebbe pensarci due volte prima di fare un figlio."

Insomma, Camilla continua a trascorrere insonne gran parte della notte, e così i suoi genitori. Raccontata in questo modo la vicenda può avere anche qualche versante simpatico, ma per chi la vive simpatica non è affatto: il 'mal dormir', come dice Leporello nel *Don Giovanni* di Mozart, ha conseguenze estremamente negative sia per la bimba che per i suoi genitori. E fortuna che nella circostanza non ci sono altri bambini in casa.

Basta osservare lo sviluppo di un essere umano nei suoi primi anni di vita per rendersi conto degli enormi cambiamenti che subisce in poco tempo: un neonato non ha nulla a che vedere con un infante di quattro mesi; questi è radicalmente diverso da un bambino di due anni che, a sua volta, non assomiglia affatto a uno di quattro o cinque.

Se i mutamenti sono tangibili dal punto di vista fisico, non sono meno effettivi da quello emotivo e intellettuale. Nel giro di pochi anni una creatura in stato di assoluta dipendenza diventa una persona, cioè un individuo dotato di precisa identità e autonomia. Per raggiungere questa meta d'importanza vitale il bambino ha bisogno di tante energie, che recupera grazie a una buona alimentazione e a un congruo periodo di riposo.

Conseguenze delle turbe del sonno nell'infanzia

Nel lattante e nel bambino piccolo
• pianto frequente
• irritabilità, cattivo umore
• carenza di attenzione
• dipendenza da chi lo accudisce
• possibili problemi di crescita

Nel bambino in età scolare
• scarso rendimento scolastico
• insicurezza
• timidezza
• turbe del carattere

Nei genitori
• insicurezza
• sensi di colpa
• accuse reciproche di viziare il bambino
• senso di frustrazione nei confronti del problema
• senso di impotenza e di fallimento
• profonda stanchezza fisica e psicologica

Che succede se il bambino non dorme bene? Le maggiori conseguenze della carenza di sonno si esprimono nell'atteggiamento vitale. Il fatto di svegliarsi diverse volte per notte impedisce a Camilla di soddisfare il suo bisogno di riposo. Ciò la riempie di inquietudine perché, a differenza di quanto accade nell'adulto, nel bambino la stanchezza funge da eccitante. È quindi ovvio che pianga di frequente e senza motivo, che diventi di cattivo umore con facilità e che denoti mancanza di attenzione. Di conseguenza viene a dipendere in eccesso dalle persone che la accudiscono: Giulia può appena respirare. A medio e a lungo termine questa dipendenza può trasformarla in una creatura timida e insicura, piena di difficoltà nei rapporti con gli altri e assai poco brillante nel rendimento scolastico.

Anche se gli effetti della carenza di sonno sulla salute del bambino sono ancora oggetto di studio e di dibattito, è fuor di dubbio che un bambino stressato non dispone delle stesse difese di un bambino che riposa bene. Tra le conseguenze dimostrate ce n'è una di quelle che fanno tremare i genitori: l'ormone della crescita (somatropina, o fattore hg) viene secreto soprattutto durante le prime ore di sonno. Ora, se il sonno di Camilla è irregolare la secrezione di somatropina può alterarsi e di conseguenza pregiudicare la crescita. Di solito i bambini che dormono male pagano lo scotto in termini di centimetri di statura e di peso corporeo.

E i genitori di Camilla? Come potete immaginare, Mario e Giulia (o piuttosto quel che ne rimane) vivono in uno stato di tensione insopportabile. Negli ultimi due anni non hanno dormito nemmeno una notte filata. Facile da dire, due anni: 104 settimane, 730 giorni... e c'è chi esige che siano pazienti. Certe volte si accusano a vicenda ("Succede perché la vizi!"); in altri momenti sono colti da un soprassalto di odio per Camilla ("Se l'avessi saputo non l'avrei mai fatto, un figlio. Non la sopporto più!"), dopodiché subentra l'immancabile senso di colpa: "Ma come mi possono saltare in mente cattiverie del genere... quella poverina soffre almeno quanto noi." Un vero inferno. "Per rendersene conto bisogna viverlo."[1]

Nient'altro? Sì, purtroppo. Per rendersene conto basta ascoltare qualche altra coppia.

"È un dramma… che dico? una tragedia!", assicura Anna, la madre di un bimbo di nove mesi che non ha mai dormito più di due ore filate. "Siamo due zombie: non 'rendiamo' né come genitori né come coppia, e nemmeno professionalmente. Viviamo a un terzo del nostro potenziale perché, esauriti come siamo, non riusciamo più a far fronte a nulla. Per di più siamo diventati così irritabili che fra noi le cose vanno a rotoli. E poi il rapporto che hai con un figlio quando sei rilassato è troppo diverso."

Giovanni, il marito di Anna, si esprime più o meno negli stessi termini: "Prima quando sentivo dire che una coppia può tenersi il muso per un tubetto di dentifricio tappato male scoppiavo a ridere. Ora non mi meraviglio più: perfino una sciocchezza del genere ci farebbe saltare i nervi. Il guaio è che vivo nell'ossessione. La mattina tiro un sospiro di sollievo – si fa per dire – solo a pensare a quante ore mi restano prima di mettere il bambino a letto. Di ora in ora divento sempre più nervoso. Cerco qualsiasi scusa per tornare a casa a ore impossibili. Se questa è vita…"

Giuseppe è più ottimista perché Cesarino (18 mesi) dorme 'ormai' da quattro settimane. Racconta: "Abbiamo resistito piuttosto bene. Ci alternavamo e, siccome io e Claudia abbiamo più pazienza di san Francesco, siamo riusciti a non scoppiare per la minima contrarietà. Ma a dirla tutta, il peggio è stato dover rinunciare a una vita sessuale normale. Immagini lei che cosa non significa passare tutto questo tempo e poter fare l'amore soltanto con continue interruzioni! In diciassette mesi non uno straccio di volta che sul più bello Cesarino non cominciasse a frignare o a chiamare la mamma. Dovevamo bloccare le operazioni. Claudia aveva un bel sussurrarmi: 'Resta lì da bravo che torno subito'. Come se si potesse aspettare impunemente cinque o dieci minuti per poi riprendere la faccenda dal punto preciso dell'interruzione. Sarò un po' delicato, ma questo genere di spot mi fa passare la voglia di vedere il resto del film."

Paola, madre di una bambina di tre anni appena 'guarita', spiega: "È come se, durante tutto questo tempo, Riccardo ed io avessimo premuto il tasto 'pausa' sul telecomando del nostro rapporto. Per essere sincera il rapporto non esisteva neppure. Tutta la nostra vita ruotava intorno a Sandra e quel poco di energia che ci avanzava la usavamo per affrontare la vita quotidiana. Quando qualche parente ci dava una mano andavamo in albergo; ma a dormire, perché non avevamo la forza di far altro. Mi è successo perfino di addormentarmi in aula durante lo scritto per il master in economia."

Conferma Riccardo: "È stato durissimo. All'inizio cerchi di resistere come puoi, ma in poco tempo sei esausto. E siccome nessuno degli espedienti che ti vengono in mente, che ti consigliano gli altri, che leggi o ascolti in giro funziona, cominci a sentirti insicuro, impotente, colpevole. I fortunati che non hanno questo problema ti trattano da incapace. Nel mio caso la parola giusta è 'fallito': come padre mi sentivo un fallimento. E sì che avevo sempre desiderato una famiglia numerosa! Paola e io volevamo avere tre o quattro figli ma abbiamo perso la voglia. Speriamo che ci ritorni ora, a dramma concluso…"

Per fortuna non tutte le coppie debbono subire questa prova; sbaglieremmo, però, nel ritenere eccezionale il caso di una Camilla. Al contrario, secondo le statistiche circa il 35% dei bambini al di sotto dei cinque anni soffre d'insonnia: ha cioè problemi all'ora di andare a letto (momento che scatena di solito un piccolo dramma) e/o si sveglia tre, quattro, cinque e più volte nel corso della notte.

Gli ultimi studi sull'argomento indicano che questo dato potrebbe peccare per difetto, perché i genitori tendono a considerare normale che dai sei mesi in su un bambino si svegli diverse volte per notte chiedendo la loro presenza con pianti, invocazioni ("mammaaa!") e richieste ("ho sete", "ho fame", eccetera). Ebbene, ciò non è affatto normale. Compiuti i primi sei-sette mesi di vita, il bambino dev'essere in grado di dormire da solo, nella sua stanza e al buio, e senza soluzione di continuità (cioè intorno alle undici o dodici ore filate).

In caso contrario vi domanderete: "Che succede? Che gli capita? Dove stiamo sbagliando?"

Dimenticate tutto quel che avete letto e sentito finora: le coliche, la fame, la sete, l'eccesso di energia, l'inserimento

---

Il limite dei cinque anni

Un bambino che a cinque anni non abbia superato il problema dell'insonnia sarà da adulto più soggetto alle turbe del sonno di una persona che a quell'età dormiva (ormai) bene. I cinque anni rappresentano in qualche modo una data-limite, in quanto consentono di solito al bambino di capire perfettamente le parole dei genitori. Se questi – ricorrendo magari a qualche minaccia – gli chiedono di non uscire dalla sua camera e di non disturbare, lui probabilmente ubbidirà. Ciò non vuol dire che ormai si faccia un sonno filato per tutta la notte. Se ha sofferto d'insonnia continuerà ad avere qualche problema ma affronterà i brutti momenti da solo. La cosa più comune è che si manifestino fenomeni di altro genere: paura di andare a letto, incubi, sonnambulismo… e, dall'adolescenza in poi, insonnia a vita.

all'asilo e quant'altro non c'entrano un fico secco. Accade invece qualcosa di molto più semplice: il vostro bambino non ha ancora imparato a dormire. "Che significa?", chiederete. Lo scoprirete nel prossimo capitolo. Seguendo alla lettera le 'istruzioni', scommettiamo che in meno di una settimana avrete (di nuovo) un dormiglione in casa.

Innanzitutto basterà ricominciare da capo e tenere ben fermo fin dall'inizio che il vostro bambino:

- non ha nessuna malattia;

- non ha nessun problema psicologico;

- non è un bambino viziato, anche se a volte vorrebbero farvelo credere.

E che, soprattutto, quel che succede non è colpa vostra. Semplicemente, non ha ancora acquisito l'abitudine al sonno. Proprio questo pretendiamo immodestamente di insegnarvi con il presente volume, che aspira ad assumere il ruolo di manuale di istruzioni per il sonno infantile; insomma, il famoso libretto di cui parlavamo all'inizio e che si sono scordati di consegnarvi al momento dell'acquisto. Ci proponiamo di farvi raggiungere l'obiettivo conseguito dopo tanti sforzi dai genitori di Camilla: una creaturina che dorme e, con lei, una coppia che riposa (e vive!) tranquilla. Per dirla con le parole di Mario e Giulia: "Dopo due anni di caduta libera abbiamo recuperato l'ottimismo, l'allegria, la voglia di fare… è come rinascere."

Capitolo II

"Non addormentatelo voi, deve riuscirci da solo", ovvero come si crea l'abitudine al sonno

Paolino, nove mesi e mezzo. Mamma Valeria racconta: "Abbiamo quattro figli. I primi tre non hanno mai sofferto di insonnia, ma l'ultimo ci ha punito per tutti gli altri, e con gli interessi. A Paolino non è mai piaciuto andare a dormire: fin da quando è nato metterlo nel lettino è stato un calvario. Non appena annusa le lenzuola inserisce l'allarme e comincia a urlare come se lo stessero squartando vivo. Una notte, dopo diverse ore trascorse nel buio a occhi sbarrati, ci venne l'idea di fargli fare una passeggiata e la cosa funzionò. Da allora ogni giorno dopo il telegiornale della sera io e Antonio prendiamo il bambino, lo mettiamo in carrozzina e usciamo. Per farlo addormentare bastano due giri dell'isolato; dopodiché torniamo a casa e lo adagiamo fra le coperte con la massima precauzione. Dopo ceniamo… nell'attesa che Paolino si desti. Intorno a mezzanotte, quando comincia a piangere, lo rimettiamo in carrozzina di corsa per non fargli svegliare gli altri e giù di nuovo per strada. Dopo questo secondo giro andiamo a letto anche noi. Verso le tre la scena si ripete e Antonio lo porta giù da solo. Mi piacerebbe alternarmi con lui ma a quell'ora ho un po' di paura. Il mio turno arriva verso le sei, quando Paolino si rimette a frignare. Siamo distrutti."

Monica, due anni compiuti da qualche settimana. Parla Marco, il papà: "La piccola dorme benissimo, ma ora che io e Carla abbiamo deciso di andare in vacanza da soli per qualche giorno è sorto un problema logistico. Mi spiego: quando Monica aveva pochi mesi ci siamo accorti che per dormire doveva vedere la tivvù. Bastava metterla sul divano del salotto e dopo dieci minuti era partita. Sennonché a portarla in camera sua si svegliava di botto, per cui abbiamo pensato di metterle un televisore davanti al lettino. Fenomenale: la bambina dormiva come un masso fino alle due o alle tre del mattino, quando cominciava a piangere perché i programmi finivano e il crepitio dell'apparecchio la svegliava. Così abbiamo pensato bene di comprare il videoregistratore e tutte le sante sere le mettiamo su una cassetta di otto ore. Semplice ma geniale: con questo sistema Monica non si sente più fino al giorno dopo. E ora vengo al famoso problema. Mia suocera ha accettato di tenere la bimba durante la nostra breve vacanza ma si rifiuta categoricamente di ricorrere alla televisione e al videoregistratore. Che fare?"[1]

Tutti noi sappiamo che mangiare e mangiar bene non sono affatto la stessa cosa. Lo stesso vale per il sonno: tutti i bambini dormono, è ovvio, ma non sempre sanno dormire bene. Alcuni si fanno tutta una tirata già a due o tre mesi; altri si svegliano tre, cinque e più volte per notte, con le fastidiose conseguenze che abbiamo descritto.

La fame, la sete e il sonno sono bisogni fondamentali; ma mentre l'importanza dei primi due è, per così dire, intuitiva (nessuno ha mai pensato di poter vivere senza mangiare e senza bere), la funzione del dormire rischia di sfuggire alla riflessione. In pieno Settecento Federico II di Prussia, monarca magari un po' troppo bellicoso ma assai colto e d'ingegno vivace, si convinse che il sonno non fosse nient'altro che un'abitudine, un relitto di chissà quale oscuro passato della specie umana. Da buon illuminista fece l'esperimento su se stesso e, fra un tè e una tazza di cioccolato, riuscì a mantenersi desto per ben tre giorni... salvo gettare la spugna all'alba del quarto.

Questo ingenuo tentativo ci fa sorridere: sappiamo bene che solo il sonno è in grado di farci recuperare le energie fisiche e psichiche spese durante la veglia, e che la sua prolungata privazione produce danni gravissimi al corpo e alla mente. Su una cosa, però, Federico II aveva parzialmente ragione: il sonno infatti è anche abitudine, e questa abitudine va contratta in modo corretto. Il mangiare e il bere possono tradursi in una specie di riflesso condizionato, in un piatto 'dovere' da assolvere (il sandwich e la birretta tranguiati in fretta e furia allo snack sotto l'ufficio) o, al contrario, rappresentare un piccolo ma irrinunciabile piacere quotidiano. Così il momento di andare a letto può essere accolto, dal bambino come dall'adulto, con inquietudine e insofferenza, oppure con la tranquilla consapevolezza che al mattino ci si risveglierà riposati, carichi di energie, pronti ad affrontare il gioco, la scuola o il lavoro con gioia e ottimismo.

Nel bambino le abitudini scorrette si traducono nei sintomi elencati nella tabella che segue.

Caratteristiche cliniche dell'insonnia infantile

- difficoltà a prender sonno da soli
- numerosi risvegli notturni
- sonno superficiale (qualunque rumore è in grado di svegliare il bambino)
- periodo di sonno più breve di quello proprio dell'età

Bambini 'anormali'?

Dunque a dormire s'impara: di solito in modo naturale, senza che né l'allievo né i suoi 'insegnanti' se ne accorgano. Perciò, se non ci imbattessimo in casi clamorosi come quelli di Paolino e di Monica, non sospetteremmo neppure che esiste un 'qualcosa' definito come insonnia infantile e che, nel 98% dei casi, questo qualcosa deriva da un'abitudine mal acquisita (per il restante 2% si parla invece di cause psicologiche).

Da chi si impara a dormire quando siamo bambini? Dai genitori o dalle persone che ci accudiscono. Sta quindi a voi far sì che vostro figlio acquisisca una buona abitudine al sonno.

La prossima domanda è ovvia: come? Insegnandogli a conciliarsi il sonno da solo, cioè con i suoi propri mezzi, senza aiuti da parte vostra (o di qualsiasi altra persona).

Per capire meglio il concetto facciamo una piccola ma non inutile divagazione.

Noi adulti abbiamo un ritmo biologico – cioè un ciclo – di poco meno di 25 ore. Questo ciclo 'amministra' il corpo: scandisce l'alternanza veglia-sonno, induce lo stimolo della fame, presiede alla secrezione ormonale, regola la temperatura corporea eccetera. Per il nostro benessere bisogna che questo ritmo, detto 'ciclo circadiano', funzioni alla perfezione. Ora, se per esempio facciamo le ore piccole o saltiamo un pasto il nostro orologio biologico si mette a ritardare o ad andare avanti, con effetti non trascurabili sul fisico e sulla psiche.

Nel caso dei neonati i cicli sono molto più brevi: si ripetono infatti ogni tre o quattr'ore. In questo lasso di tempo il bambino si sveglia e, dopo essere stato pulito e nutrito (l'ordine può variare, in quanto c'è chi preferisce cambiare il bebè dopo che ha mangiato), si riaddormenta.

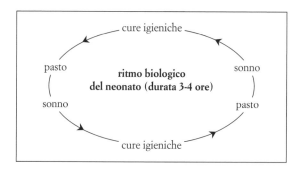

cure igieniche

pasto

ritmo biologico del neonato (durata 3-4 ore)

sonno

sonno

pasto

cure igieniche

Questo sarebbe l'andamento normale. Certi neonati, però, sono così 'anarchici' da non seguire nemmeno questo ritmo: si svegliano e si addormentano quando vogliono, senza schema alcuno.

Verso il terzo o il quarto mese di vita i piccoli cominciano a mutare il loro ritmo biologico, abbandonando progressivamente il ciclo di tre o quattr'ore per adattarsi a quello, pressappoco quotidiano, degli adulti. Pian piano il lattante comincia ad avere periodi più consistenti di sonno notturno. Se prima dormiva un paio d'ore per volta, ora porta gradualmente la durata della pausa notturna a tre, quattro, sei, otto, dieci e perfino dodici ore consecutive. Attenzione: qui non esistono regole fisse, nel senso che il rapporto tra età e durata del sonno è ben poco schematico.

Sta di fatto che questo graduale mutamento avviene per una ragione precisa. Nella zona più profonda del nostro cervello esiste un gruppo di cellule (il cosiddetto 'nucleo suprachiasmatico dell'ipotalamo') che funziona come un orologio. Il suo ritmo detta i vari bisogni del bambino (sonno, veglia, fame eccetera) in modo da adattarli al ritmo biologico di 24 ore abbondanti ('ritmo solare').

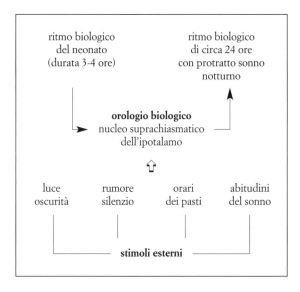

Per far funzionare correttamente quest'orologio occorre l'intervento di alcuni stimoli esterni, quali l'alternanza di luce e oscurità e di rumore e silenzio, gli orari dei pasti e le abitudini che favoriscono il sonno.

Cominciamo dai più intuitivi. La sera, quando mettiamo il nostro piccino nella culla, è normale che la stanza sia al buio e che i rumori del giorno siano assenti o quanto meno fortemente attenuati. Altrettanto normale è che quando lo facciamo dormire durante il giorno nella stanza ci sia un po' di luce solare e che prendiamo poche o punte precauzioni per evitare i rumori di casa o quelli provenienti dalla strada. Tutto ciò aiuta il neonato a riconoscere le differenze e sin dalle prime settimane gli insegna a distinguere tra veglia e sonno. Una distinzione fondamentale perché il piccolo possa cambiare il suo orologino da polso biologico (dotato di un'autonomia di tre o quattr'ore al massimo) con la grossa pendola dell'adulto (da caricare ogni ventiquattro e più ore e capace di scandire un lungo periodo di sonno notturno).

Oltre all'oscurità e al silenzio, quali altri elementi esterni possiamo associare al riposo notturno? Gli orari dei pasti. Fin dalla nascita il bambino associa pasto e sonno. Con il passare delle settimane riduce le sei poppate giornaliere a cinque o quattro. Contemporaneamente diminuiscono anche i periodi di sonno diurno, poiché la poppata notturna, la più consistente, gli permette di dormire diverse ore di seguito.

Ma c'è di più. Per far funzionare alla perfezione l'orologio manca ancora un qualcosa senza il quale nessuno stimolo basterebbe ad adattare il bebè al ciclo di ventiquattr'ore. Parliamo dell'abitudine al sonno, che il bimbo deve imparare a conciliarsi senza malintesi 'aiuti' esterni.

Riprendiamo l'esempio dei pasti. Quando il bambino comincia ad avere un certo numero di mesi lo si sistema nel seggiolone, gli si mette il bavaglino e gli si pone davanti il piatto con la pappa e il cucchiaio. Dopo aver ripetuto varie volte questo identico rituale notiamo che il bambino, non appena ha preso posto sul seggiolone e si sente il bavaglino al collo, comincia a muoversi eccitato anche se non ha ancora visto la pappa. Ormai sa che entro qualche minuto gli daremo da mangiare, cioè ha associato certi oggetti (il seggiolone, il bavaglino, il piatto, il cucchiaio) all'atto stesso di mangiare. In conclusione ha recepito il messaggio: "Quando mi mettono sul seggiolone con il bavaglino al collo e il cucchiaio davanti, tra un po' si mangia." Da quel momento in poi il piccolo mangerà sempre nello stesso modo, a ora di pranzo o di cena, a casa o all'asilo, imboccato dalla mamma o dal papà, dalla tata o dal nonno.

Questa esperienza l'abbiamo vissuta tutti: siamo diventati esseri coscienti e autonomi a forza di ripetere e di veder ripetere gli stessi atti, giorno dopo giorno, settimana dopo settimana, mese dopo mese…

Il processo non finisce qui. Nell'apprendere l'abitudine di mangiare il bambino percepisce qualcosa di più. In effetti gli trasmettiamo anche qualcos'altro: il nostro atteggiamento.

Bisogna tener presente che nei primi mesi di vita l'essere umano è completamente istintivo e intimamente legato alla madre (o a chiunque lo accudisca regolarmente). La sua sopravvivenza fisica ed emotiva dipende da chi si prende cura di lui. Non a caso gli psicanalisti usano dire che prima di essere 'io' siamo stati 'noi'. In conseguenza di questa sorta di simbiosi, il bambino piccolo sente ciò che sente la mamma (o chi lo accudisce): impara cioè a sentire le emozioni attraverso quel che gli comunicano gli adulti non tramite la parola (per lui ancora incomprensibile), ma mediante l'atteggiamento, i gesti d'amore, le attenzioni…

Proviamo a prendere in collo un bebè di sei mesi e a dirgli con tutta la dolcezza di questo mondo: "Brutto cicciottino spelacchiato, ti odio da morire, sai?" Probabilmente il piccolo ci sorriderà felice, perché gli stiamo trasmettendo amore. Il significato delle parole che ha sentito gli sfugge del tutto; in compenso capisce perfettamente i sentimenti che gli comunichiamo con il tono della voce. Se, al contrario, gli diciamo "Tesoro mio, anima mia, quanto sei bello! Ti voglio tanto bene!" in tono irritato o sprezzante, scoppierà di certo a piangere, perché con le sue minuscole ma sensibilissime antenne avrà percepito la nostra aggressività latente o esplicita.

Qual è l'atteggiamento che noi genitori trasmettiamo al bambino quando gli insegniamo a mangiare? Intanto siamo arciconvinti di far le cose a dovere. Io, il papà, so che la pappa va mangiata con il cucchiaio, e mia moglie che il latte va bevuto dal bicchiere o dal biberon. Siamo entrambi sicuri che le cose si fanno così e in nessun altro modo. Ebbene, il bambino assorbe questa sicurezza, che lo conferma nell'abitudine di mangiare. In altre parole Paolino ci sente convinti, mutua la nostra convinzione e impara con estrema facilità.

Immaginiamo la situazione contraria. Che succederebbe se dubitassimo? Se per esempio al momento del pasto mettessimo Paolino un giorno sul seggiolone, un altro sul vasino e il terzo nella vasca da bagno? O se, invece che nella sua scodellina, gli presentassimo la pappa nella pentola a pressione e il latte in un vaso da fiori anziché nel bicchiere o nel biberon? Vi pare ridicolo, certo, ma ricordatevi di questo esempio quando parleremo del sonno. Dopo una settimana di cambiamenti così traumatici il povero piccolo ci fisserebbe con gli occhi sbarrati e il suo cervellino in formazione elaborerebbe un abbozzo di pensiero la cui sostanza sarebbe più o meno questa: "Vediamo un po' che cosa inventano oggi quegli scombinati dei miei genitori."

Naturale. Se quando gli diamo da mangiare gli cambiamo sotto il naso gli oggetti associati al cibo lo rendiamo insicuro; e non solo per i continui mutamenti, ma anche per il contagio del dubbio. Non dimentichiamo che il bambino percepisce tutto ciò che gli viene trasmesso dagli adulti, e che nei primi anni di vita la maggiore esigenza psicologica è, dopo l'amore, proprio la sicurezza.

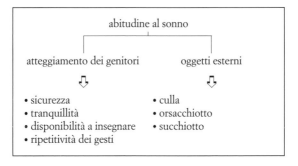

Prima di passare all'applicazione pratica di queste nozioni sul sonno bisognerà tener presente un ultimo, importante fattore. Se scegliamo di presentare al bambino determinati oggetti per costruire in lui un'abitudine, non dobbiamo assolutamente farglieli sparire dinanzi mentre il piccolo è in fase di apprendimento. Detto in altri termini, se per insegnargli a mangiare decidiamo di fargli usare un cucchiaio nessuno può dire nel bel mezzo della pappa: "Macché cucchiaio, dagliela con i bastoncini! Non lo sai che quest'estate andiamo a Tokio?" Insomma, non dobbiamo mai presentargli qualcosa che, per un motivo o per l'altro, ci vedremo costretti a togliergli. Tutto va fatto sempre nello stesso modo.

Se concordiamo sul fatto che quella di dormire bene è un'abitudine, e che come tale la si acquisisce, che cosa dobbiamo fare per insegnarla al nostro bambino?

La risposta è semplice:

• assumendo un atteggiamento adeguato e coerente (che dovrà essere osservato sia dai genitori sia da tutti coloro che accudiscono il piccolo);

• ricorrendo a oggetti esterni.

L'atteggiamento dei genitori

L'idea di far mangiare Paolino un giorno sul seggiolone e l'altro sul vasino vi è sembrata paradossale. Come paradossale è ciò che fanno molti genitori quando devono insegnare ai figli l'abitudine al sonno e non ci riescono subito. Facciamo un esempio.

Albertino (10 mesi) protesta quando lo mettono a letto. Logicamente preferisce stare con la mamma e il papà e non da solo nella culla. Mamma Ada, stanca ma comprensiva, lo culla paziente tra le braccia finché il piccolo non si addormenta. Una volta raggiunto l'obiettivo, Albertino viene deposto tra le lenzuola con la stessa cura con cui si maneggerebbe una bomba a orologeria. Inutile: non appena tocca la culla il birbante comincia a piagnucolare. Un po' irritata, un po' dispiaciuta, Ada lo riprende tra le braccia e, bene o male, riesce a farlo riaddormentare. Stavolta anche la manovra della 'deposizione' fila liscia. Sennonché, dopo neanche un'ora, mentre Ada e Carlo, seduti al tavolo del tinello in mezzo a un'orgia di dépliant, cercano di raccapezzarsi sulla convenienza di questo o di quel mutuo per l'appartamento, Albertino manifesta a gran voce la sua richiesta di partecipare all'importante consiglio di famiglia. Ora è Carlo a tentare la prova. Brandendo il biberon entra in camera con un'espressione spietata curiosamente simile a quella di Clint Eastwood nella sparatoria finale di *Per un pugno di dollari*. "Quando un bambino con la bizza incontra un padre con il biberon, il bambino con la bizza è un bambino addormentato!", mormora fra sé parafrasando una celebre battuta del film. In effetti Albertino ciuccia con apparente buona lena e giunto all'incirca a metà pasto passa dalle braccia del padre a quelle del mitico Morfeo.

Ma, a differenza di quanto accade negli spaghetti-western, il trionfo sul 'cattivo' si rivela drammaticamente provvisorio. "E metterlo in carrozzina…?", propone timida Ada. Detto fatto: prende il bambino ("ti prego, tesoro, lasciaci un po' tranquilli") e comincia a far solchi sulla moquette. Nuovo appisolamento, nuova sveglia imperiosa. "Aua!", urla Albertino: vorrà dire 'acqua'?[2] "Carlo, sii buono, vacci tu a dargliela." Risultato, zero via zero. Esausti, disperati, furiosi i due decidono di soprassedere al gran consiglio e di andare a letto. Con chi? Con Albertino, debitamente sistemato nel mezzo. Quando si riaddormenta lo rispediscono in culla. "Buaaa!!!"

Che succede? Succede questo: il piccolo si sente insicuro altrettanto e più dei genitori, che gli cambiano ogni secondo sotto il naso gli oggetti esterni e che, per di più, gli appaiono nervosi fino all'isterismo, troppo preoccupati, ansiosi, infastiditi… Come tutti i bambini con problemi di insonnia, Albertino si dimostra molto precoce nel parlare (come farebbe, altrimenti, ad attirare l'attenzione di Ada e Carlo sui suoi bisogni immaginari?) ma è ancora ben lontano dal padroneggiare la lingua. Dunque non capisce il senso di quel "dormi, amore, è tanto tardi, sai?", ma ne percepisce il significato profondo, perché il piccolo è come un radar costantemente puntato sugli stati d'animo dei genitori. Sente quel che loro sentono: di conseguenza sviluppa insicurezza. Come possiamo pretendere che un bambino impari l'abitudine al sonno se non sappiamo trasmettergli sicurezza?

Sicurezza: ecco la parola magica, la condizione necessaria e sufficiente per far capire al piccolo che rimanere in culla da solo e conciliarsi il sonno con i propri mezzi sono le cose più naturali del mondo.

Gli elementi esterni

Come abbiamo fatto per il cibo, così dobbiamo agire per il sonno: associare cioè l'atto di dormire con alcuni elementi esterni che non cambieremo né toglieremo per tutto il tempo che il bambino impiegherà per apprendere l'abitudine.

Immaginiamo di far addormentare Pippo cullandolo tra le braccia. Quale elemento esterno il piccolo associa al sonno? Quel lento e dolce moto oscillatorio, che gli 'sottrarremo' solo quando non potrà accorgersene perché sarà ormai sprofondato nel sonno. Che cosa succederà se si sveglia nel cuore della notte? Per riaddormentarsi vorrà riprovare le oscillazioni associate al suo sonno: in altri termini avrà bisogno di essere cullato (e qui varrà la buona disposizione del papà o della mamma).

Prima di procedere oltre va sottolineato che ogni notte tutti, bambini e adulti, sperimentano una serie di brevi ri-

svegli. Queste pause del sonno, che superano i trenta secondi solo negli anziani (in cui possono durare anche tre o
quattro minuti), ci consentono di percepire gli eventuali
mutamenti della situazione ambientale, di coprirci o di
scoprirci in caso di bisogno e di cambiar posizione nel letto. A meno che non si protraggano per qualche motivo
particolare, il giorno dopo non le ricordiamo affatto.

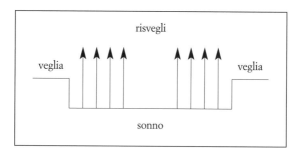

Avviene così che in una sola notte un lattante o un bambino piccolo possano destarsi dalle cinque alle otto volte
(o più se soffrono d'insonnia infantile). Quando il piccolo si sveglia si aspetta di trovare la stessa situazione che ha
percepito al momento di addormentarsi e nella quale si
sentiva al sicuro. Se ha associato il fatto di dormire con un
giretto nel passeggino spererà di essere ancora a scarroz-
zarci sopra; se si è assopito durante la poppata cercherà il
seno materno; se è entrato nel mondo dei sogni tenendo
la mano di papà ne avvertirà la mancanza...

Dal momento che trascorrere tutta la notte a spingere una
carrozzina, ad allattare un bambino o a tenerlo per mano
non sono esattamente le cose più normali di questo mondo, che cosa pensate succederà a vostro figlio al momen-

to del risveglio? Si beccherà uno spavento terribile; e, peggio ancora, non riuscirà a riprender sonno senza prima 'recuperare' quella data situazione, cioè gli elementi esterni da lui associati all'atto di dormire.

Se la faccenda non vi risulta troppo chiara vi proponiamo un piccolo esercizio di immaginazione. Supponete di andare a letto e di addormentarvi normalmente come ogni notte; dopo qualche ora, colti da uno di quei risvegli notturni di cui abbiamo appena parlato, vi rendete conto di trovarvi sdraiati sul divano della sala. Non vi svegliereste completamente in preda allo spavento? Non vi chiedereste angosciati che cos'è successo?

Se stentate a raffigurarvi una situazione del genere vi invitiamo a leggervi *Il seppellimento troppo affrettato*, uno splendido racconto del terrore di Edgar Allan Poe. Il protagonista della storia ha subito in passato diversi attacchi di catalessi (cioè di morte apparente) e ha preso tutte le sue precauzioni per non venir sepolto vivo per errore. Una notte si sveglia nell'oscurità più completa e, protendendo le mani, scopre di avere a pochi centimetri dal volto una parete di legno. Alza le ginocchia e sbatte contro quello che senz'ombra di dubbio è il coperchio di una bara. Panico. Dopo minuti e minuti carichi di disperazione gli vien fatto di allargare le braccia e da un lato trova il vuoto. Spiegazione dell'enigma: il nostro uomo, in viaggio per mare, stava dormendo su una branda sospesa con due catene alla fiancata della nave. Durante il sonno era scivolato sul pavimento; poi il rollio del veliero lo aveva spinto proprio sotto la branda…

Bene: l'impressione ricevuta dal vostro bambino quando si desta in una situazione anomala ha più di un'analogia con quella descritta dal grande narratore americano.

Che cosa non fare per addormentarlo

• cantare
• dondolarlo nella culla
• cullarlo tra le braccia
• dargli la mano
• farlo passeggiare in carrozzina
• fargli fare un giro in macchina
• toccarlo o lasciare che ci tocchi i capelli
• accarezzarlo
• dargli il biberon o allattarlo
• metterlo nel letto grande
• lasciarlo scavallare finché non è distrutto
• dargli da bere

A questo punto vi sarete resi conto che tutti gli elementi esterni di cui abbiamo parlato finora hanno qualcosa in comune: implicano l'intervento di un adulto. Un bambino non può girare da solo in carrozzina, non può alzarsi a prepararsi un biberon, non può sdoppiarsi per accarezzarsi la schiena e via discorrendo.

Se perseguiamo l'obiettivo di far dormire il bambino tutta la notte di fila (e quello, non meno importante, di non venir destati di continuo), quali elementi dovremo associare al suo sonno? Innanzitutto qualcosa che non dovremo prima o poi sottrargli. Qualcosa che non abbia bisogno di un adulto.

Il bambino piange perché la situazione che trova quando si sveglia in piena notte non è la stessa che viveva al momento di addormentarsi. Ciò significa che dobbiamo favorire tutte le condizioni capaci di mantenersi inalterate per l'intera notte.

Tanto per cominciare ci sono la sua culla o il suo lettino. Non facciamolo addormentare sul divano, in braccio, nel passeggino o nel letto grande, perché dopo ne sarà necessariamente privato.

Quando lo fate coricare non dategli nulla che richieda la vostra presenza e non rimanetegli vicino finché non si sia addormentato, altrimenti vi vorrà lì a ogni risveglio notturno. Se rispettate queste due condizioni potete dargli qualunque cosa vogliate, sempre che poi non gliela dobbiate togliere: il succhiotto (se lo usa), l'orsacchiotto (se ce l'ha), l'amata copertina a quadri; quelle cose, insomma, che a differenza del papà e della mamma possono rimanere con lui tutta la notte.

Riassumendo: mai aiutare il bambino ad addormentarsi, mai prendere parte attiva ai suoi tentativi di addormentarsi. Deve imparare da solo, e se ha meno di sei mesi[3] gli si può insegnare a farlo in tutte le maniere. Se appena appena trova le cose (il lettino, la copertina, il peluche, il succhiotto…) come stavano al momento in cui si è addormentato, si riterrà pienamente soddisfatto. Durante i suoi periodici – e, come ormai sappiamo, naturalissimi – risvegli troverà tutto come sempre ("Il mio orsacchiotto è qui, il mio succhiotto anche, tutto è uguale, che tranquillità!") e tornerà a dormire senza problemi né per lui né per voi.

Capitolo III

"Chi va piano va sano e va lontano", ovvero
come insegnargli a dormire bene fin dal principio

Un neonato non dorme come un piccolino di quattro mesi o un bambino di un anno e mezzo. Il sonno infantile si evolve nel tempo. In questo capitolo vi spiegheremo come cambia e che cosa dovete aspettarvi in ogni momento. Se vi preoccupate di educarlo fin dall'inizio vostro figlio dormirà senza problemi.

Come far scuola al neonato

La prima cosa da sapere è che il neonato dorme secondo il suo fabbisogno, né più né meno, e che dorme 'a modo suo', cioè senza distinguere il giorno dalla notte. Può crollare ovunque e in ogni momento, senza il minimo rapporto con le circostanze esterne. In realtà il suo stato naturale è proprio quello del sonno: in media un neonato dorme sedici ore al giorno, con punte di venti e minimi di quattordici.[1] Sappiamo che in queste prime settimane il suo ritmo biologico si ripete generalmente ogni tre o quattr'ore; in questo periodo il piccolo si desta / viene pulito / viene nutrito / riprende il sonno. Non preoccupatevi se il vostro bambino non ha schemi: il sonno del neonato è completamente anarchico.

In questa fase sonno e cibo sono strettamente uniti, perciò di solito il piccolo si sveglia perché ha fame; tuttavia non bisogna prendere per buona la diffusa credenza secondo cui i neonati piangono solo perché vogliono poppare. Non è sempre così, e a rimpinzarlo ogni volta che piange lo educheremmo male: nel giro di una settimana finirebbe con l'associare pianto e cibo e non si calmerebbe finché non gli dessimo la sua 'dose' indipendentemente dalla fame.

Perciò quando piange non affrettatevi a porgergli il capezzolo o la tettarella. Prima scartate altre possibili cause: il freddo, il caldo, il pannolino sporco, il bisogno di contatto umano e di coccole. Se vedete che si calma non dategli da mangiare.

Per vostra norma e regola, un neonato che a ogni poppata ingerisce un'adeguata quantità di latte può restare senza cibo dalle due ore e mezzo alle tre ore. Per accertarsi che tutto vada bene esiste un metodo semplicissimo: controllare la sua curva ponderale. Se non lo avete ancora fatto il pediatra vi spiegherà come comportarvi.

Questo punto è molto importante perché, come ormai sapete, il ritmo dei pasti è strettamente connesso con quello del sonno. Ambedue sono controllati dallo stesso gruppo di cellule cerebrali (il famoso nucleo suprachiasmatico dell'ipotalamo), e se non aiutiamo quest'orologio a mettersi in orario, se cominciamo a disturbarne il corretto funzionamento, ne usciremo male.

Non è ancora giunto il momento delle imposizioni, d'accordo. Ciò nonostante vi consigliamo di aiutare il vostro bambino a distinguere fin dal principio tra veglia e sonno. Nei pochi momenti in cui non dorme non dovete lasciarlo in culla ma prenderlo in braccio e dedicargli la vostra attenzione per svegliarlo completamente. Parlategli, coccolatelo, giocateci insieme: così comincerà a percepire la diversità fra i due stati, cosa che vi può sembrare ovvia ma che è nuova per un esserino appena venuto al mondo. Come se non bastasse, per farlo esiste un'altra ottima ragione: il bebè assocerà la culla all'ora di dormire. In breve tempo questa strategia gli farà acquisire una corretta abitudine al sonno.

Lo stesso si dica per il giorno e la notte: è consigliabile aiutarlo a distinguerli. Vi sveliamo alcuni trucchi.

- *Luce diurna contro oscurità notturna*. Quando dorme di giorno lasciate socchiuse le persiane della sua stanza e, se la culla è piccola, portatelo addirittura con voi nel soggiorno, in cucina o dovunque siate in quel momento per fargli recepire che intorno a lui succede qualcosa. Non preoccupatevi: per riposarsi non ha bisogno di essere al buio perché in questa fase si addormenta ovunque e comunque. Di notte, al contrario, lasciatelo al buio. Non usate neppure quelle piccole spie luminose che riscuotono tanto successo tra i genitori di primo pelo. Il vostro bambino deve imparare subito a dormire al buio, altrimenti incontrerete non poche difficoltà per farlo sentire tranquillo e sicuro senza luce.

- *Rumore contro silenzio*. Non smettete di passare l'aspirapolvere, di conversare o di ascoltare la radio se il bambino sta dormendo alle undici di mattina. Di notte è normale che ci siano meno rumori, ma non esagerate: per esempio non rinunciate a vedere la televisione, magari mantenendo l'audio a volume moderato. Come faremo a rimettere l'orologio biologico del nostro piccolo se di giorno regna un silenzio di tomba adatto, semmai, all'ambiente notturno? Il bambino finirà con il confondersi e, peggio ancora, con il poter dormire solo nella quiete più assoluta.

- *Fargli il bagnetto la sera*, cioè prima del suo sonno notturno. Anche se è ancora piccolissimo l'abitudine va fissata in lui prima possibile.

- *Preoccuparsi che stia particolarmente comodo durante la notte*. Dategli il tempo di fare il ruttino, cambiategli il pannolino, assicuratevi che quando lo coricate la culla non sia fredda e che la temperatura della stanza sia sempre adeguata (tra i 20 e i 23°C). Se durante il giorno si sveglia per qualcuno di questi motivi, poco male; se invece gli lasciamo patire un disagio notturno rischiamo di vanificare il nostro obiettivo di stabilire regole certe che presiedano al sonno.

Ed eccoci giunti al nocciolo della questione: è essenziale che, per quanto piccolo, il bambino impari a dormire da solo. Dovete quindi cercare di farlo addormentare con i suoi mezzi e non tra le vostre braccia o in vostra compagnia. All'inizio è normale che si assopisca mentre prende il latte dal seno o dal biberon. Nella misura del possibile ciò va evitato facendo rumore, soffiandogli o toccandogli il naso, facendogli il solletico ai piedini, cambiandogli il pannolino eccetera. Se però non ci riuscite tranquillizzatevi: è ancora troppo presto per preoccuparsi.

Dove deve dormire?

*L'arrivo di un neonato, ovvero poche ore di sonno
e tanta, tanta stanchezza per la coppia, ma in particolare
per la neomamma che, ancora sotto lo stress del parto,
deve ricominciare ad affrontare gli impegni e i problemi
della vita quotidiana. In queste condizioni si finisce con
l'arrendersi al desiderio di riposo e si tende a far di tutto
purché il piccolo si addormenti e ci lasci un po' tranquilli.
Un clima ben poco propizio per prendere decisioni
importanti che, se errate, potranno portarsi dietro
un lungo e fastidioso strascico.
Cerchiamo, allora, di fare certe scelte prima della nascita
del bambino: ci troveremo sicuramente meglio.
La prima è dove farlo dormire.*

• Nel vostro letto. *Dal punto di vista della stanchezza
le prime settimane sono sicuramente le peggiori, perciò
molte mamme finiscono con il tenere il neonato nel letto
matrimoniale. Questa pratica presenta due vantaggi
innegabili: facilita le poppate notturne e consente di accudire
il bambino con maggior rapidità. In fin dei conti, però,
non è la scelta migliore, perché nel giro di poche settimane
il piccolo potrebbe fare l'abitudine a dormire con voi; in altri
termini, la prossimità fisica dei genitori rischia di diventare
un elemento associato al sonno. E, se avete letto con
attenzione ciò che abbiamo detto fin qui, intravederete
già qualche nuvola nera addensarsi all'orizzonte.*

• In camera vostra ma nella sua culla. *Questa opzione
è di gran lunga preferibile alla precedente. Nell'esiguo spazio
della culla il bambino si sente protetto quasi come nel ventre
materno; inoltre il fatto di averlo vicino ci permetterà
di accudirlo con la stessa rapidità ed efficienza che se fosse
a letto con noi. Tuttavia prolungare la situazione
è sconsigliabile. Al terzo mese al massimo il piccolo deve
essere sistemato nella propria cameretta.*

• Nella sua cameretta. *Se non ve la sentite proprio
di rinunciare ai vostri privatissimi spazi o se vi svegliate
di soprassalto al minimo rumore, nulla vi impedisce
di sistemarlo subito nella sua cameretta.
Questa, naturalmente, dovrà essere vicina alla vostra
stanza, in modo da poter sentire il neonato.*

• Dalla culla al lettino. *Il momento di spostare il bambino
dalla culla a letto scocca di solito quando il piccolo
è cresciuto a tal punto da non riuscir quasi a muoversi
in quel poco spazio. Si passa allora al lettino protetto
da sbarre, che vanno tolte quando vostro figlio comincia
a sbatterci e a cercare pericolosamente di scavalcarle.
Arriva poi il letto vero e proprio. Il cambiamento va fatto
in un periodo di particolare serenità del bambino:
non deve cioè coincidere con circostanze impegnative
dal punto di vista psicologico, quali l'ingresso nell'asilo,
l'arrivo di un fratellino, un cambio di casa eccetera.
Un espediente che dà generalmente buoni risultati consiste
nel trasformare questa specie di trasloco in un evento
speciale associandolo a un regalino, a una festicciola
o anche soltanto a una parola di incoraggiamento
("Ma guarda, sei già grande!", oppure "Come sei fortunato,
che bel letto hai!"). È fondamentale che nel frattempo
abbia ben appreso l'abitudine al sonno e che voi rispettiate
rigorosamente la sua routine.*

Il traguardo dei tre mesi: comincia il conto alla rovescia

Anche se molti bambini ci riescono prima, dal terzo o quarto mese in poi il piccolo comincia di regola a mutare il proprio ritmo biologico di tre o quattr'ore in quello di ventiquattro e i suoi periodi di sonno notturno si allungano gradualmente. Se fin qui ci siamo permessi una certa flessibilità, ora è giunto il momento di prendere davvero sul serio il compito di trasmettergli una buona abitudine al sonno.

Per riuscirci, ricordate che sono necessari due requisiti:

• il vostro atteggiamento deve dimostrare sicurezza. Il bambino percepisce i vostri stati d'animo: se vi sente tranquilli lo sarà anche lui, e farà meno fatica a capire che rimanere da solo nel lettino e addormentarsi sono la cosa più naturale del mondo;

• dovete favorire nel piccolo l'associazione tra l'ora della nanna e alcuni elementi esterni (la culla, l'orsacchiotto, il succhiotto…) destinati a restare con lui tutta la notte.

La ricetta più efficace per ottenere lo scopo consiste nel creare una routine preventiva al momento di coricarsi, in modo che ogni giorno si verifichino gli stessi eventi. Non dimenticatevi che per il bambino ripetizione è sinonimo di sicurezza.

Intanto va deciso quando lo vogliamo a letto; una volta stabilito, l'orario andrà rispettato rigorosamente ogni sera. È stato dimostrato che l'ora in cui il sonno si presenta con maggiore facilità va dalle 20 alle 20.30 in inverno e dalle 20.30 alle 21 in estate (lo spostamento di mezz'ora dell'orario estivo è dovuto all'ora legale).

Da questo momento in poi scegliete l'iter da seguire. Di solito si comincia dal bagnetto, qualcosa che, oltre a divertire e rilassare al tempo stesso, funge da spartiacque tra il giorno e la notte. Se il bambino non ama troppo l'acqua non protraete il bagno oltre misura e, una volta che lo avrete asciugato e rivestito, dedicate un po' di tempo a fargli vedere qualche gioco, a cantargli una canzoncina o a parlargli con dolcezza per calmarlo. Stessa cosa se il bagno lo ha eccitato.

Quando dobbiamo dar da mangiare al piccolo non facciamolo nella sua stanza: le abitudini del cibo e del sonno vanno tenute ben separate per consentirgli di distinguere chiaramente tra l'una e l'altra evitando le associazioni sbagliate. Se non esistono situazioni che rischiano di eccitarlo troppo (come la visita di estranei) possiamo benissimo dargli da mangiare in cucina o nel tinello, magari in presenza di tutta la famiglia.

Passare qualche momento insieme con il bambino fuori dalla sua cameretta è davvero piacevole perché, per esempio, vi permette di cullarlo mentre gli parlate o gli cantate allo scopo di tranquillizzarlo. Questi periodi trascorsi nelle altre stanze potranno allungarsi man mano che cresce, e alla ninna nanna si sostituirà la lettura di una favola. L'obiettivo è che lui si senta amato, soddisfatto e, soprattutto, che percepisca la sicurezza di cui ha tanto bisogno per rilassarsi e addormentarsi.

Dopo questi piccoli intervalli di vita sociale – anche se limitati a cinque o dieci minuti – mettetelo nel lettino con il suo orsacchiotto, il suo succhiotto, la sua copertina, insomma con tutti quegli elementi esterni che non lo lasceranno per tutta la notte, e salutatelo fino al giorno dopo. Abituatevi a usare una serie di parole che gli diventeranno familiari: "buonanotte", "sogni d'oro", "dormi bene" eccetera. Ciò fatto, uscite dalla stanza mentre il bambino è ancora sveglio.

Se la routine è corretta, il piccolo affronterà con allegria il momento di andare a letto e troverà facile staccarsi dai genitori. Probabilmente i suoi ritmi di sonno cominceranno ad assomigliare sempre più ai vostri: in poco tempo il ciclo giorno-notte risulterà impostato e il bambino dormirà di fila tutta la notte. In caso contrario non innervositevi, perché prima del sesto-settimo mese è prematuro parlare di disturbo. Dovete ancora aiutarlo, ecco tutto. Controllate quindi se esistono altre cause che gli impediscono di addormentarsi e/o che lo fanno svegliare la notte:

- è ammalato?

- è troppo coperto o ha una tutina troppo leggera? L'ambiente è troppo caldo o troppo freddo?

- si agita perché è sporco?

- l'ultima poppata non lo sazia? (in tal caso dovrete modificare le dosi con la consulenza del pediatra);

- ha sofferto di coliche? (forse, anche se ora gli sono passate, non riesce a dormire per mancanza di abitudine: cullatelo un po' tra le braccia e rimettetelo a letto).

Un ultimo consiglio per questa fase. Nelle prime settimane un bebè piange solo quando ha bisogno di qualcosa, ed è logico prestargli assistenza immediata. Ben presto, però, sarete in grado di distinguere il semplice pianto di protesta, di quelli che finiscono in fretta, dal pianto che significa qualcosa di più serio. Per questo motivo, dal terzo mese in poi non prendetelo in braccio al minimo segno di agitazione. Dategli l'opportunità di riaddormentarsi da solo: forse vi stupirà piacevolmente.

Dai sei mesi in avanti: l'ora della verità

Dai sei mesi in avanti il bambino deve dormire meno durante il giorno[2] e fruire di un periodo più o meno lungo ma continuo di sonno notturno. A sette mesi il ritmo dei pasti (quattro al giorno) e del sonno (undici o dodici ore filate) dovrebbe essere ben consolidato.

Se queste condizioni non si verificano – cioè se vostro figlio ha difficoltà ad addormentarsi da solo e si sveglia più di due volte per notte – dovrete rieducare la sua abitudine al sonno.[3]

Cos'è normale per un bambino di 6-7 mesi

- ritmo dei pasti e del sonno perfettamente regolare
- quattro pasti durante il giorno
- undici-dodici ore di sonno notturno
- andare a letto senza pianti e congedarsi con allegria dai genitori.

Anche se tutto fila liscio non è detto che si debba allentare la guardia, perché tanti pericoli occulti rischiano di compromettere la buona abitudine del bambino. Tra il sesto e il nono mese il piccolo non si addormenterà più suo malgrado ma sarà capace di rimanere sveglio sia per l'eccitazione, sia per la voglia di restare con i genitori, sia, infine, per non perdersi nulla di ciò che gli accade intorno. Probabilmente non riuscirà ad addormentarsi proprio per la stanchezza e ancor più facilmente non vorrà andare a nanna.[4] Perciò all'ora di dormire sarete più fermi che mai nel mantenimento della routine e resterete fedeli al principio basilare secondo cui vostro figlio deve addormentarsi con i propri mezzi.

Un'avvertenza sulla routine: attenzione a non allungare pian piano, quasi inconsapevolmente, i lieti momenti che trascorrete insieme con lui prima di andare a letto. Logicamente il vostro bambino, che non è 'addormentato' in nessuna accezione del termine, farà il possibile per posticipare al massimo l'ora di coricarsi. Nel crescere dominerà sempre più il linguaggio: di qui una lunga sfilza di "ho sete", "un bacetto", "ti voglio bene", "un'altra favola, l'ultima". Niente di strano, allora, se i cinque o i dieci minuti finiranno col diventare mezz'ora o più. Non sarebbe la prima volta che un papà o una mamma rimangono due ore a leggere favole al loro piccolo.

Un buon trucco per evitare situazioni del genere consiste nel fare le cose nel modo meno eccitante possibile. Come ben si intuisce, leggergli *I tre porcellini* in tono calmo e un tantino monotono susciterà un effetto assai minore che raccontarglielo accompagnandosi con la mimica e mettendosi a cantare a squarciagola: "Chi ha pauuura del luuupo cattivooo?"

Anche dopo il primo anno il bambino avrà bisogno di dormire molto ma lo farà principalmente di notte. Di regola il bambino dormiglione continuerà a esserlo anche dopo e viceversa, perciò non sperate in prodigiose conversioni. All'inizio avrà bisogno di due pisolini, uno al mattino e l'altro nel pomeriggio, ma probabilmente verso i quindici mesi attraverserà (e voi con lui) un momento piuttosto difficile. In questo periodo due pisolini possono essere di troppo, ma uno solo è troppo poco. Il piccolo non vorrà andare a letto la mattina e, così facendo, crollerà esausto all'approssimarsi del pasto. Di conseguenza mangerà tardi, rifiuterà di fare la siesta e a causa della stanchezza diverrà noioso e capriccioso fino a sera, quando il problema si riproporrà a cena. Di solito questo momentaneo scompenso si risolve spontaneamente in un mese o due, in capo ai quali avrà bisogno di un solo pisolino dopo pranzo.

Il rischio dei pisolini è che tendono ad allungarsi troppo. Ciò può essere controproducente perché il ritmo del sonno del bambino rischia di rompersi: per quanto ci possa far piacere che il piccolo dorma, non possiamo pretendere che dorma molto sia di giorno che di notte. In qualche occasione non avremo altra scelta che svegliarlo. Ricordate: ogni volta che si desta dal suo pisolino, anche se ha riposato bene, prova qualche difficoltà a rimettersi in sintonia. Per fargli recuperare tutte le sue facoltà bisogna aver pazienza e concedergli quindici o trenta minuti di coccole e di tenera conversazione. Se non volete rischiare un pandemonio non fatevi venire in mente di lavarlo e/o di cambiarlo prima! Morale della favola: se dovete uscire calcolate prima il tempo necessario per fargli recuperare il buon umore.

Di solito il 'pisolino postprandiale' viene eliminato, soprattutto per esigenze scolastiche, a tre anni-tre anni e mezzo. Può essere una misura negativa perché quando i bambini vanno a letto hanno troppo sonno e dormono più profondamente, con la conseguenza di andar soggetti a fobie notturne e a episodi di sonnambulismo.

Raccomandiamo perciò di fargli mantenere l'abitudine di questo pisolino almeno fino ai quattro anni e, se possibile, anche oltre.

A quale età il bambino ci dà la certezza di aver acquisito una buona abitudine al sonno? Ci spiace dirlo, ma non è il caso di sbilanciarsi in previsioni. Anche se il piccolo dà segnali promettenti non bisogna fidarsi: continuiamo quindi a seguire di buon grado il solito rituale per andare a letto, soprattutto in presenza di qualche problema (incubi, paure proprie dell'età) o di circostanze speciali (trasloco, arrivo di un fratellino eccetera).

Vi sembra chiedere troppo?

Il pisolino

tra l'anno e l'anno e mezzo $\left\{ \begin{array}{l} \text{eliminano il pisolino} \\ \text{dopo la colazione} \\ \text{soprattutto se vanno} \\ \text{al nido} \end{array} \right.$

verso i tre anni-tre anni e mezzo $\left\{ \begin{array}{l} \text{eliminano il pisolino} \\ \text{dopo pranzo} \\ \text{soprattutto se vanno} \\ \text{all'asilo} \end{array} \right.$

L'ideale è non eliminare il pisolino dopo pranzo
fino ai quattro anni.

Non vogliamo terminare il capitolo senza indurvi a fare una modesta riflessione. Poiché i genitori hanno il difetto di coltivare aspettative poco realistiche sui loro figli, molte coppie che di solito fanno coricare il bambino alle 20 lo tengono sveglio fino alle 23 alla vigilia delle feste, nella vana speranza di vederlo svegliarsi più tardi la mattina dopo. Altra cosa illogica è consentirgli di fare lunghissimi pisolini pomeridiani ("così ci riposiamo un po' anche noi…") per poi pretendere che vada a letto presto la sera. Lo stesso vale per quei genitori che, mandando i figli a letto alle 20, non li vorrebbero vispi come pesci prima delle 10 del mattino seguente.

Buon senso, quindi. Sarebbe magnifico se, per riprender fiato, potessimo premere di tanto in tanto il pulsante 'pausa' e vedere il bambino cadere in catalessi per un paio di giorni. Invece dobbiamo far professione di realismo, accettando che nostro figlio abbia le sue ore di sonno e insegnandogli quelle poche ma auree regolette che gli permetteranno di acquisire una corretta abitudine al sonno. Questo è il meglio che possiamo fare per loro. Sappiamo già che se un bambino non impara a dormire bene entro i cinque anni si trascinerà dietro per tutta la vita questo sgradevolissimo problema.

Il pigiama ideale

In inverno il bambino va vestito in modo tale che per dormire non abbia bisogno di coperte. Durante il sonno, infatti, si rivolta abbastanza spesso nel lettino e non ama sentirsi intrappolato; se poi si scopre e non è vestito a sufficienza il freddo può svegliarlo (e, peggio, sottoporlo come minimo al rischio di un raffreddore). Per evitare ogni inconveniente bisognerà tenere un termometro a parete nella sua cameretta e fargli indossare una tutina di pura lana: così potrà muoversi liberamente e sarà sempre ben coperto. In estate basteranno una maglietta e il pannolino; se fa molto caldo potrà fare a meno anche del lenzuolo.

Capitolo IV

"Ripartire da capo", ovvero come rieducarlo al sonno

Che cos'è normale e che cosa non lo è? Quando si deve parlare di insonnia infantile?

Certi genitori considerano normale alzarsi tre o quattro volte per notte perché il loro bambino di un anno e mezzo piange o urla chiedendo l'acqua o il biberon. Ma questa non è la norma; anzi, a quell'età il piccolo dovrebbe dormire da tempo tutta la notte filata. Così come non è normale che un bambino di otto mesi sia abituato a rimanere sveglio fino a mezzanotte e senza mai dare segni di stanchezza; o che un altro urli quando la mamma, dopo avergli rimboccato le coperte e augurato la buonanotte, esce dalla sua cameretta.

Dai sei-sette mesi in avanti tutti i bambini dovrebbero essere in grado di:

• andare a letto senza pianti e con gioia;

• addormentarsi da soli;

• dormire tra le undici e le dodici ore di seguito;[1]

• dormire nella propria culla e senza luce.

Sempre che non abbia disturbi organici capaci di alterare il sonno – coliche, rigurgiti, intolleranza al latte, infezioni delle alte vie respiratorie eccetera – un bebè di sei o sette mesi che non presenti tutti e quattro i requisiti precedenti può presentare un problema di insonnia.

Questo fenomeno va addebitato:

• nel 98% dei casi ad abitudini errate;

• nel restante 2% a problemi psicologici (di cui ci occuperemo a fine capitolo).

L'insonnia da cattive abitudini, che come abbiamo appena visto è il disturbo di gran lunga più ricorrente, ha le seguenti caratteristiche:

• il bambino trova difficoltà ad addormentarsi da solo;

• si risveglia spesso nel corso della notte (solitamente dalle tre alle quindici volte)[2] e non riesce ad addormentarsi in modo spontaneo e senza l'aiuto dei genitori o delle persone che lo accudiscono abitualmente;

• ha il sonno molto leggero: osservandolo ci sembra in stato di continua vigilanza e pronto a destarsi a qualsiasi piccolo rumore;

• dorme meno ore del normale (cioè della media relativa alla sua età).

Quando ciò accade, per farlo addormentare i genitori cominciano a ricorrere alle tecniche più usuali (e sbagliate): dargli da bere un sorso d'acqua, accarezzargli i capelli, massaggiargli la schiena…

Lo abbiamo detto fino alla nausea: nulla di tutto questo basterà. Il bambino si addormenta, è vero, ma dopo tre ore al massimo si ridesta e il dramma ricomincia. Da questo momento in poi quel che dovete fare è mettere in pratica quanto avete imparato finora. Tuttavia, prima di cominciare, tenete ben presente che per ottenere risultati potrete fare solo ciò che vi spiegheremo. In altri termini seguite alla lettera quel che avete letto, senza prendere iniziative di testa vostra.

Che cosa provoca l'insonnia infantile?

⇩

Una scorretta acquisizione
dell'abitudine al sonno.

Ora, sappiamo già che a dormire bene s'impara e che per acquisire una corretta abitudine occorrono due requisiti indispensabili:

- i genitori devono farsi vedere tranquilli e sicuri di ciò che fanno e adottare sempre lo stesso comportamento;

- il bambino deve poter associare il sonno a una serie di elementi esterni che gli rimarranno accanto per tutta la notte: la culla, l'orsacchiotto, il succhiotto, la copertina e così via.

Queste sono le due regole necessarie e sufficienti per rieducare l'abitudine al sonno di vostro figlio. Tiriamo un frego blu sul passato: immaginiamo che nostro figlio sia nato oggi e trattiamolo come un neonato anche se ha sei mesi, un anno e mezzo o cinque. In altre parole ricominciamo da capo, ma questa volta senza più dubbi, pregiudizi e sensi di colpa. Anche se qualche volta parleremo di succhiotti e di situazioni tipiche del neonato, questa tecnica serve fino ai cinque anni di età: perciò se questo è il caso di vostro figlio dovrete applicarla lo stesso, tralasciando naturalmente i dettagli che si confanno soltanto ai più piccini.

Detto così sembra facile, ma siamo pronti a scommettere che, dopo la sperimentazione di tante ricette 'infallibili', la vostra sicurezza personale è giunta ai minimi storici. Non importa. D'ora in poi – e durante tutto il processo di 'rieducazione' – dovrete agire come se aveste le idee chiarissime (e non illudetevi: quando lo sentirete piangere le fibre più tenere del cuore vi si struggeranno senza rimedio). Ricordate che l'importante non è ciò che dite a vostro figlio, ma l'atteggiamento con cui lo contagiate. Se in voi percepisce sicurezza e convinzione imparerà più facilmente.[3]

Scegliamo ora gli elementi esterni che il piccolo assocerà al suo sonno, senza dimenticare che essi dovranno rimanergli accanto tutta la notte.

Tanto per cominciare avremo bisogno di alcuni elementi nuovi, perché il bambino conosce già a memoria tutto quel che c'è nella sua stanza. Allora creiamoli. Mentre Paolino cena il papà gli disegnerà qualcosa, lasciandolo partecipare alla gioia del processo creativo: "Guarda che faccio. Ora uso l'arancione. Vedi come ci sta bene?" Se il bambino ne è già capace può partecipare in maniera più attiva: basterà fargli disegnare un sole, a cui, magari, il genitore conferirà l'ultimo tocco, aggiungendoci accanto un uccellino o, sotto, un alberello.

Altro esempio: la mamma può costruire una giostrina qualsiasi. Per realizzarla basta una palla di carta di alluminio appesa a un pezzetto di spago o a un elastico. Se il bambino non è più così piccolo da distrarsi con una cosa tanto semplice, chi non sa disegnare e ritagliare la sagoma di un aereo o di una bambola? Non dev'essere un capolavoro: l'importante è che il bambino abbia in camera sua qualcosa di nuovo, qualcosa che non ha mai avuto.

Nel capitolo precedente abbiamo spiegato quanto sia importante creare un rituale intorno all'atto di coricarsi. Per rieducare vostro figlio seguiremo gli stessi passi: prima un bagno rilassante; poi la cena, seguita da cinque o dieci minuti trascorsi piacevolmente insieme (a cantare una ninna nanna, a fare un gioco che non lo ecciti troppo, a raccontargli una favola); infine l'augurio di buona notte e l'uscita dalla stanza mentre il bambino è ancora sveglio.

Riteniamo di aver chiarito a sufficienza la questione della routine. Ora vogliamo solo darvi un consiglio sull'ora della cena: per rimettere a punto l'orologio biologico di vostro figlio (e quindi per rieducarne l'abitudine al sonno) è fondamentale fissare gli orari dei pasti. Il bambino dovrà far colazione alle 8, pranzare a mezzogiorno, far merenda alle 16 e cenare alle 20. La scelta di questo orario, da rispettare piuttosto rigidamente, è in stretto rapporto con i ritmi cerebrali propri dell'infanzia: il piccolo è pronto ad andare a letto tra le 20 e le 20.30 perché in questo lasso di tempo il sonno si concilia più facilmente. In estate, con l'entrata in vigore dell'ora legale, posticiperemo il momento del sonno di una mezz'ora.

Immaginiamo che siano le 20.30 e che, dopo il suo bel bagno e la cena, Paolino sia pronto ad andare a nanna. Papà e mamma passano con lui qualche minuto (che converrà trascorrere nel tinello, in salotto o in un qualsiasi altro posto diverso dalla sua stanza). Dopo questo piacevole intermezzo uno dei due spiega a Paolino che il disegno fatto prima è un poster e che glielo appenderanno in camera insieme alla giostrina appena costruita. È fondamentale che il tono di voce sia calmo: se vi fate vedere sicuri vostro figlio, magari nel giro di qualche giorno, finirà con il rimanere 'contagiato'.[4]

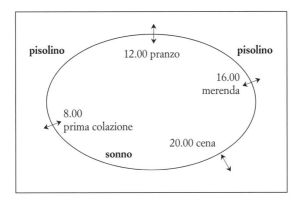

Se dorme ancora con il succhiotto dovrete comprargliene diversi e metterglieli qua e là nella culla o nel lettino, perché quando si sveglierà in piena notte e cercherà il succhiotto dovrà trovarlo; altrimenti vi chiamerà per farselo dare da voi e tutto il bell'effetto pedagogico che vogliamo ottenere andrà a farsi benedire.

Il papà o la mamma sceglierà poi un bambolotto tra quelli che il bambino già possiede e gli darà un nome, per esempio Dodo; quindi lo presenterà al bambino e gli comunicherà: "Da oggi il tuo amico Dodo dormirà sempre con te." È importante che il bambolotto sia scelto da noi. Ciò fa parte integrante della nostra strategia tesa a dimostrargli (e a dimostrarci) sicurezza. Non possiamo permettere che sia nostro figlio a dire come si fanno le cose: siamo noi, i genitori, a insegnargli l'abitudine di dormire. Anche se il bambino è ormai grandicello non cadete nella tentazione di lasciar scegliere a lui. Ricordate che per noi è nato oggi e che dovremo trattarlo come un neonato incapace di badare a se stesso. Riassumendo:

- le richieste che il bambino avanza al momento di andare a letto possono provocare distorsioni nell'abitudine al sonno;

- non può essere il bambino a dire ai genitori come deve dormire o di che cosa ha bisogno per farlo;

- spetta ai genitori insegnare al proprio figlio l'abitudine di dormire.

Come vedete, nessuno tra gli elementi scelti richiede la presenza di un adulto. Ricordate il nostro obiettivo: mai più il papà, la mamma, il biberon o qualsiasi cosa di cui il bambino possa o debba venir privato costituiranno elementi da associare al sonno. Tutto quello che abbiamo scelto (il disegno, la giostrina, il bambolotto, i succhiotti, la copertina) sarà lì quando si sveglierà alle tre del mattino; il suo fedele amico sarà sempre presente e pur non essendo uguale al papà e alla mamma – che sono andati via – o al biberon – che è scomparso – gli resterà accanto e non lo lascerà per nessun motivo al mondo.

Eccoci ora pronti a fare il secondo passo. Sono le 20.35 del 'primo giorno di vita di vostro figlio'. Il disegno è al suo posto; la giostrina, i succhiotti e la copertina anche; Paolino e Dodo sono stati formalmente presentati. Se ancora non lo abbiamo fatto, dobbiamo mettere a letto il bambino. A seconda di dove dorme esistono due possibilità: culla e lettino.

- *Culla.* Mettetecelo: se oppone resistenza a coricarsi basterà lasciarvelo seduto dentro, senza forzarlo a sdraiarsi. Subito dopo allontanatevi dalla culla quel tanto che basta perché il bambino non possa afferrarvi (senza esagerare: basterà un metro) e agite come se tutto procedesse normalmente. Visto che anche lui finirà con il considerare tutto questo come normale, non preoccupatevi se lì per lì comincia a piangere. Non dimenticate che dovete mostrarvi arciconvinti di ciò che fate.

- *Lettino.* Sarebbe ben strano se andasse a letto come se nulla fosse. Da autentico piccolo demonio, Paolino ha perfettamente capito che gli avete confezionato un bel 'pacco'. La cosa più normale è che una volta messo a letto si alzi in preda all'agitazione e che subito dopo scoppi in un pianto dirotto. Non cercate di coricarlo di nuovo; piuttosto prendetegli la mano o fatevelo sedere sulle ginocchia, ma soprattutto non perdete la calma.

Uno di voi si rivolgerà al piccolo e gli dirà qualcosa del tipo: "Amore, il papà e la mamma vogliono insegnarti a dormire da solo. Da oggi dormirai qui, nel tuo letto, con il disegno, la giostrina, Dodo… (e tutto ciò che avrete scelto, cioè le cose che gli stanno intorno e che rimarranno con lui tutta la notte)." Questo discorsetto deve durare un mezzo minuto, perché è possibile che nell'elenco dobbiate includere le tende, il girello o, se ha l'età per andarci, il triciclo. Non importa che capisca o meno quel che gli state dicendo: la cosa principale è il tono calmo e rilassato. In questo mezzo minuto piangerà sicuramente come una vite tagliata, nel disperato intento di far tornare le cose come prima, di rituffarsi e di rituffarvi in un passato che per voi non esiste più. Non badategli. Continuate a parlargli come se nulla fosse, ricorrendo magari al trucco di concentrarvi su ogni parola che pronunciate mentre gli spiegate come saranno le sue nuove notti. Qui il papà e la mamma dovranno dimostrare la loro vera forza. Non dovranno pensare a Paolino che, in segno di supplica, alza i braccini con un viso triste triste o che, se più grande, urla tutta la sua disperazione per non poter dormire sul divano del salotto mentre la tivvù proietta *Il Re Leone* in prima serata. È chiaro che non rinuncerà con facilità ai suoi 'privilegi'. Piangerà, urlerà, singhiozzerà fino a strangolarsi, vomiterà, si agiterà in preda a convulsioni, dirà "sete", "fame", "bua", "ti prego", "non ti voglio più" e quant'altro pur di riuscire a piegarvi. Ma voi fate finta di nulla, siate stoici. Ricordate: non dev'essere il bambino a dirci come vanno fatte le cose, siamo noi a dovergliele insegnare. Se vi resta difficile pensate che lo fate per la sua salute e per quella di tutta la famiglia. Seguendo alla lettera queste istruzioni, in capo a una settimana al massimo dormirete come ghiri dalla sera alla mattina.

Andiamo avanti. Trascorso il famigerato mezzo minuto, l'uno o l'altro di voi rimetterà Paolino nella culla o nel lettino, nella posizione in cui ritenete stia più comodo. Attenti, però: questa operazione va eseguita solo una volta. Avvicinategli i succhiotti in modo che possa raggiungerli e ditegli: "Buonanotte, amore, a domani"; dopodiché spegnete la luce e uscite dalla stanza lasciando la porta lievemente socchiusa. Se ascoltavate musica o guardavate la tivvù potete abbassare il volume; ma senza trasformare la casa nella cappella del commiato, perché è Paolino a doversi adattare a voi e non voi a Paolino.

Insistiamo: l'età di vostro figlio è indifferente; pensate sempre di avere a che fare con un neonato. La tecnica di rieducazione vale per un bambino di cinque anni come per uno di sei mesi. L'unica variabile consiste nella potenza delle armi che il primo sarà in grado di impiegare, e cioè:

• *La parola.* Crescendo, il bambino acquisisce una certa padronanza lessicale e riesce quindi a manipolare i genitori mediante il linguaggio: non a caso la maggioranza dei bambini insonni parla fin dalla più tenera età. Pochi genitori resistono all'appello di un piccolo che urla "seteee!", "buaaa!" o "pauraaa!". Non se ne rendono conto, ma il brigante ha perfettamente capito che così facendo accorreranno trafelati e ansiosi (è il principio di azione-reazione di cui parleremo in seguito). Se necessario imparerebbe a dire 'precipitevolissimevolmente'. Come controbattere a queste astuzie? Semplice: non prenderle neppure in considerazione. Vostro figlio è un neonato, non dimenticatelo, e quindi per voi non sa parlare.

• *L'agilità fisica.* La maggior coordinazione di movimenti unita alle accresciute dimensioni gli consentirà, per esempio, di saltar fuori dal lettino e di uscire dalla stanza alla ricerca della mamma e del papà. Non potete passare la notte a riportarlo a letto. Soluzione? Una qualsiasi innocua barriera sistemata davanti alla porta della sua cameretta. Così eviterete di chiudere la porta – cosa che potrebbe terrorizzarlo – ma otterrete lo stesso risultato perché il bambino non potrà più mettersi a vagare per casa. Se si alza o se pretende di addormentarsi per terra, niente paura: i bambini non sono affatto sprovveduti e raramente arrivano a questi estremi. Nel caso che ciò accada basterà che una volta addormentato lo rimettiate nel suo letto. L'importante è che si addormenti nella sua stanza e che si addormenti da solo.

Fin qui vi abbiamo raccontato la storia dal nostro punto di vista. Ma che cosa succede a Paolino?

I bambini comunicano con gli adulti tramite il principio di azione e reazione. Il piccolo compie una determinata azione perché si aspetta dall'adulto una certa reazione. Se lasciamo nella culla un bebè di sei o sette mesi, gli auguriamo la buona notte e ce ne andiamo, è possibile che cominci a battere le manine e a cantare "a-a-a". Quale reazione otterrà in risposta a questa azione? Non un granché. Probabilmente i genitori si diranno tra loro: "Guarda che amore!", e non faranno nient'altro. Ma che succederebbe se urlasse a strappatimpani? Si precipiterebbero tutti nella sua stanza per accudirlo. Ecco la reazione cercata dal bambino. Quale azione ripeterà la prossima volta che vorrà vedere sull'attenti il papà e la mamma? Non batterà certo le manine e, se proprio dovrà cantare, abbandonerà il repertorio melodico per abbracciare uno stile heavy metal. Se un bebè di sei mesi è capace di tanto, immaginiamoci un po' quali 'prodigi' riuscirà a compiere a un anno o più, quando saprà parlare e muoversi in scioltezza.

Dopo quanto abbiamo detto non abbiamo più dubbi sul vivace ingegno di Paolino, che tutto farà tranne che piegarsi alla prima. Se il piccolo vede che lo lasciate nella culla o nel lettino senza tributargli il solito trattamento, che farà per recuperare i suoi privilegi? Comincerà a provarle tutte per ottenere la reazione desiderata.

Flash-back: torniamo al momento del discorsino della buonanotte. Può darsi che, non appena comincia, Paolino prenda Dodo per un braccio e lo scaraventi contro la parete, e che subito dopo i succhiotti volino a pioggia dalla finestra. Se li raccogliete il bambino li getterà via di nuovo, e così di seguito. Alla fine chi l'avrà avuta vinta? Paolino, per il semplice motivo che ha compiuto un'azione e voi ci siete cascati reagendo proprio come lui si aspettava.

Che fare? Immaginiamoci la situazione: mentre uno di voi sta parlando con il bambino lui butta per terra i suoi passatempi per attirare la vostra attenzione e piange in tono sommesso o stizzoso. Il 'portavoce' continua a parlare come se nulla fosse e, una volta finito il discorso, raccoglie il tutto, glielo rimette con calma nella culla, gli augura la buonanotte, gira i tacchi e se ne va (se siete entrambi in camera uscite insieme). Probabilmente Paolino li ributterà per terra, ma voi state già uscendo dalla stanza e non tornate a prenderli. Stavolta chi ha vinto?

La stessa cosa succede se lo mettiamo a letto: lui si alza e voi ce lo rimettete. Che farà se non rialzarsi? Voi non volete che la scena si ripeta per tutta la notte, ma Paolino sì, perché in questo modo gli starete accanto. Perciò, per non uscirne con le ossa rotte, dovrete sistemarlo come meglio credete e poi lasciarlo lì, a sfogarsi a suo piacimento. Basterà non dargli retta…

A quali altri trucchi ricorrerà? Oltre a chiedere da bere, a dire "bua" e a tutti gli espedienti di cui abbiamo già parlato, può darsi che vomiti. Non spaventatevi, non ha niente: i bambini riescono a provocarsi il vomito con grande facilità. Innervositevi pure (dentro), ma mostratevi impassibili (fuori): pulite il disastro, cambiategli lenzuola e tutina e perseverate con tetragona volontà nel vostro programma educativo.

Che altro può fare Paolino? Piangere; e accompagnare il pianto con il faccino più desolato del suo repertorio mimico. È la sua arma letale e lui lo sa. D'altronde proprio con questo linguaggio si è fatto capire fin dalla nascita. Sa che quando piange uno dei genitori cede, e intorno a questa consapevolezza dispone le trappole del suo sguardo piagnucoloso. Usa il piagnucolio come un grimaldello per forzare la porta del cuore. Ma a questo punto il papà e la mamma sanno distinguere se piange per il dolore o per raggiungere un fine. Paolino non ha nulla di male, e dunque si mostrano tranquilli e proseguono il loro discorso.

Una volta finito, anche se lui piange (e loro piangono dentro), se ne vanno.

La 'grande guerra' è appena cominciata. La cosa più normale è che, rimasto solo nella sua camera, Paolino cominci a modulare il suo pianto in una tonalità di do minore che probabilmente risuonerà nell'intera palazzina condominiale.

Come rieducare l'abitudine del sonno

• Creare un rituale intorno all'azione di andare a letto (cantare una canzone, raccontare una favola).
• Questa situazione non viene creata per far dormire il bambino, ma per fargli associare un momento piacevole all'inizio del sonno solitario.
• I genitori devono uscire dalla cameretta prima che si addormenti.
• Se il bambino piange i genitori devono tornare ogni poco per infondergli fiducia, ma senza far niente per zittirlo o per indurlo a dormire, fino a che non si addormenta da solo.

Però non possiamo andar via così e lasciare Paolino piangere finché non crolla per esaurimento (cosa, questa, che qualche volta vi hanno stupidamente suggerito). E perché no? Perché (ri)educare non significa punire. Se ce ne andiamo pensando 'Alla fine vedrai che si stanca e crolla sfinito', gli trasmettiamo un'idea punitiva di abbandono. Tuttavia non possiamo nemmeno entrare subito nella stanza a consolarlo: bisognerà lasciar trascorrere un po' di tempo. Quanto? Per cominciare solo un minuto, passato il quale un genitore tornerà nella stanza rispondendo all'appello e facendosi vedere da Paolino.

Il nostro obiettivo non è quello di farlo restare zitto, né di farlo calmare e neppure di farlo addormentare: dobbiamo solo fargli capire che non è stato abbandonato.

Tabella dei tempi
(in minuti)

*Quanto bisogna attendere prima di tornare
nella stanza del bambino che piange*

Se il bambino continua a piangere

giorno	prima attesa	seconda attesa	terza attesa	attese successive
1	1	3	5	5
2	3	5	7	7
3	5	7	9	9
4	7	9	11	11
5	9	11	13	13
6	11	13	15	15
7	13	15	17	17

Questi tempi vanno bene sia per la prima volta che si fa coricare il bambino, alle 20.30, sia per quando si sveglia in piena notte. Seguendo una precisa tecnica di condotta, gli intervalli aumentano con il trascorrere dei giorni, finché il bambino non capisce che anche piangendo non otterrà nulla e si addormenta da solo.

Perciò chi entrerà nella stanza rimarrà a una certa distanza per evitare che il bambino gli prenda la mano o gli si aggrappi addosso (o, se è sceso dal lettino, ce lo rimetterà) e gli parlerà per una decina di secondi, spiegandogli in tono tranquillo ciò che gli era stato detto prima: "Amore, la mamma e il papà ti vogliono tanto bene e ti stanno insegnando a dormire. Tu dormi qui con Dodo, il disegno, i succhiotti, la copertina… perciò, a domani." Dopo queste parole raccoglie gli oggetti che il piccolo ha gettato per terra, li ridepone sul lettino e se ne va. Non deve far nulla se Paolino continua a piangere e a urlare o se si avventura di nuovo nella camera.

Aspettare e soffrire… Stavolta l'attesa va protratta fino a tre minuti, in capo ai quali, se Paolino piange ancora, uno di voi (potete fare a turno) ritornerà nella stanza e dovrà ripetere esattamente ciò che l'altro ha fatto prima. L'attesa successiva durerà cinque minuti, dopodiché andrà in scena il solito spettacolino. Da questo momento in poi dovrete aspettare cinque minuti tra visita e visita, ma se soffrite troppo potete ridurli a tre.

Per non far sprofondare il piccolo in una crisi di abbandono è fondamentale entrare tutte le volte nella sua stanza. Che non vi passi per la mente di aspettare più di cinque minuti, il tempo massimo che può rimanere da solo nel primo giorno di 'rieducazione': sarebbe una crudeltà. Il bambino teme solo che i suoi genitori non gli vogliano bene e che lo abbandonino; e proprio questo messaggio percepirà se non rispettate i tempi. Se invece andate a trovarlo e gli parlate con amore, senza urlare, senza arrabbiarvi ed esibendo grande calma, Paolino finirà con il capire che il papà e la mamma non lo lasciano solo, che gli vogliono tanto bene. Si renderà anche conto che per quanto pianga e faccia scenate i genitori non rimarranno con lui e che restar solo all'ora di dormire non è poi quella gran tragedia. Ciò lo tranquillizzerà, gli darà la sicurezza di cui ha bisogno e gli consentirà finalmente di dormire. Ci sembra di sentirvi chiedere: "Quanto ci metterà ad addormentarsi?" Risposta: sebbene certi bambini recepiscano il messaggio con maggior difficoltà, la norma è non più di due ore.

Paolino si addormenta ma ancora non è un orologio preciso: dopo una, due o tre ore si ridesta. E che fa? Ricomincia a piangere o a urlare: "seteee!", "fameee!", "pauraaa!" e quant'altro. E noi che facciamo? Torniamo a insegnargli a dormire ripetendo tutta la procedura nel rigoroso rispetto della tabella dei tempi. Trattandosi del primo giorno, la prima volta resistiamo un minuto prima di entrare nella stanza e di tenergli il nostro discorsetto: "Amore, la mamma e il papà capiscono che sei molto arrabbiato perché ti stanno insegnando a dormire, ma tu ora dormi qui con il tuo amico Dodo, con il disegno e con il succhiotto... buonanotte, a domani." E di nuovo fuori. La seconda volta si entra dopo tre minuti, la terza dopo cinque; e così via finché non si riaddormenta.

Bisogna comportarsi in questo modo a qualunque ora perché il bambino non capisce gli orari. Non abbassate la guardia: quando vi sveglierà alle tre, alle quattro o alle cinque del mattino sarete probabilmente esausti e di conseguenza rischierete di cadere come allocchi nelle sue piccole ma astutissime trappole. Per perdere la partita basterà fare una sola volta quel che vi chiede: dargli un sorso d'acqua, cantargli una canzoncina, tenergli 'un pochino' la mano, prenderlo tra le braccia... Tutto ciò che avevate ottenuto fino a quel momento si volatilizzerà. Capirà di aver trovato lo spiraglio giusto per infiltrarsi, e allora addio tempo, addio sforzi. Ma se vi attenete scrupolosamente alla regola la rapidità e l'efficacia di questo metodo vi stupiranno.

Quando il problema è psicologico

All'inizio di questo capitolo abbiamo detto che solo il 2% dei disturbi del sonno ha cause psicologiche. In questi casi la tecnica qui esposta non avrà necessariamente successo perché l'insonnia non è dovuta a una scorretta abitudine ma a un problema emotivo.

Innanzitutto gli eventi che turbano i genitori coinvolgono anche i figli, perché i bambini percepiscono gli stati ansiosi dei genitori e ne vengono contagiati. Di conseguenza non potranno sviluppare la fiducia e la tranquillità d'animo indispensabili per dormire. In secondo luogo è la crescita in sé a provocare situazioni nuove che possono influire pesantemente sul bambino: di qui una maggiore ansia notturna. Il trasferimento dalla camera dei genitori alla propria, la nascita di un fratellino, l'ingresso all'asilo, la visione di scene violente alla tivvù sono tutte situazioni capaci di angosciare vostro figlio e di alterargli il sonno.

In questi casi la soluzione consiste nell'individuare la causa dell'ansia e risolverla. Se il bambino dovrà sottoporsi a terapia psicologica (come accade di solito di fronte a problemi di separazione, maltrattamenti eccetera) andranno seguiti anche i genitori.

Nel capitolo VII ("Domande e risposte") troverete spiegazione ad alcune delle domande che vi verrà spontaneo di porvi applicando il metodo.

Capitolo V

"Questioni orarie", ovvero come vincere la battaglia dell'orologio

A questo punto, se avete messo in pratica quel che avete imparato, vostro figlio deve essere già diventato un campioncino di sonno notturno. Ma forse vi è sorto qualche dubbio su quanto tempo debba dormire; o magari volete mandarlo a nanna un po' più tardi, con l'allettante prospettiva di dormire un po' di più al mattino. In tal caso continuate a leggere.

Quante ore deve dormire?

Così come avviene anche agli adulti, certi bambini sono dormiglioni, altri indugiano a letto meno volentieri. Ciò detto, le prossime righe vi serviranno di riferimento.

I neonati dormono di solito sedici o diciassette ore al giorno, divise in periodi che possono variare dalle due alle sei ore. Di norma intorno al terzo mese cominciano, sia pure con un po' di aiuto esterno, ad adottare il ciclo giorno-notte, che si traduce in tre o quattro pisolini durante il giorno e in un sonno notturno più lungo (tra le cinque e le nove ore). A sei mesi dormono circa quattordici ore giornaliere: i pisolini si sono ridotti a due e il sonno notturno si protrae per dieci o dodici ore. A questo punto il bambino che abbia acquisito una corretta abitudine al sonno sarà capace di dormire tutta la notte senza interruzioni.

Tra i 12 e i 24 mesi il sonno diminuisce leggermente (tredici ore) e poco dopo il primo compleanno si passa a un solo pisolino al giorno, in genere dopo pranzo. Da allora il suo bisogno di dormire comincerà a decrescere. Per sapere se dorme abbastanza potete guardare la tabella qui sotto. Ricordate però che questi valori sono una media: se vostro figlio dorme un paio d'ore in più o in meno di quelle indicate non ha necessariamente un problema.

Il riposo del piccolo guerriero	
(in ore)	
1 settimana	16-17
3 mesi	15
6 mesi	14
12 mesi	13 e 45
18 mesi	13 e 30
2 anni	13
3 anni	12
4 anni	11 e 30
5 anni	11

Se dorme meno del minimo osservatene il comportamento per capire se presenta disagi da carenza di sonno: è irritabile, assonnato, assorto? Non riesce a mantenere l'attenzione? In tal caso controllate i suoi orari e le sue abitudini notturne per vedere di aumentare le ore di sonno. Se invece dorme di più controllate che la crescita sia normale e che si mostri attento e attivo quando è sveglio. In tal caso non preoccupatevi: è segno che la buona sorte vi ha regalato un bambino dormiglione.

Come farlo adattare a un altro orario

Può darsi che il vostro piccolo dorma in prevalenza di giorno o che la sera si addormenti molto presto e al mattino si desti altrettanto di buon'ora. Non è la fine del mondo: potete riorganizzargli il sonno con un espediente semplicissimo.

Per cambiare l'orario cominciate a ritardare il momento di andare a nanna di circa mezz'ora la settimana, senza forzarlo, in modo da farlo adattare pian piano. Per riuscirci impiegherà un periodo di tempo direttamente proporzionale alle modifiche effettuate, ma alla fine, con un po' di buonsenso e senza forzarlo, conseguirete l'obiettivo che vi eravate prefissi: basta non far vacillare la sicurezza del bambino.

Un ultimo avvertimento: può darsi che il piccolo dorma poco di notte perché i suoi pisolini diurni sono molto lunghi. Per rimediare dovete limitare questi ultimi.

Qualche trucco perché ci lasci dormire di più

Un bambino piccolo non sa che ore sono (né si vede perché dovrebbe importargliene qualcosa). Quando si sveglia la mattina è perché ha dormito a sufficienza, e di norma (e per la nostra disperazione) lo fa molto presto. Se vi chiama, urla o piange non serve far finta di nulla. In questo caso vale la pena di accorrere subito, pur non togliendolo dalla culla o dal lettino. Se invece balbetta e non protesta, non muovetevi: pian piano si abituerà a restare qualche tempo senza la compagnia di un adulto.

Sempre che non abbia fame o non soffra qualche altro disagio, se ha qualcosa per intrattenersi starà bene dove dorme. I più piccini possono distrarsi guardando la giostrina o qualsiasi altro gioco adatto alla loro età. Se poi gli offrirete qualche motivo di comfort – per esempio cambiandogli il pannolino o dandogli il biberon – guadagnerete probabilmente una bella ora di sonno.

Quando è più grande, una volta scartate le possibili cause di risveglio (i rumori del traffico, la luce eccessiva, il freddo o il caldo) provate a lasciargli una sorpresa ai piedi della culla: un giorno qualche albo illustrato, l'indomani una scatola di matite colorate con un blocco, poi un giocattolino… Potete inoltre provare a lasciargli a portata di mano un biberon o un bicchier d'acqua e un po' di pane o qualche biscotto.

Dai tre anni in avanti, quando il bambino è già in grado di capirvi e di collaborare con voi, impiegate magari un trucco per dormire un po' di più. Immaginiamo, per esempio, che di solito il vostro piccolo si svegli alle otto mentre vorreste tanto crogiolarvi tra le coperte fino alle dieci. Che fare?

In primo luogo prendete un orologio da parete e attaccate sul vetro un adesivo in corrispondenza delle dieci. Poi costruite un calendario speciale. Siccome il bambino non riesce ancora a distinguere i giorni, applicherete al muro una striscia di carta su cui avrete disegnato sette quadratini, uno per ogni giorno della settimana: quelli che corrispondono al sabato e alla domenica saranno di un altro colore perché 'lui' li possa distinguere. Ogni sera farete in-

sieme con il piccolo un cerchio o un quadratino in corrispondenza del giorno: il lunedì il primo segno, il martedì
il secondo, il mercoledì il terzo e così via, spiegandogli:
"Oggi è lunedì", "Oggi è martedì" eccetera. Il venerdì pomeriggio, al suo ritorno dall'asilo, gli farete sapere che il
giorno seguente, sabato, avverrà un fatto speciale. Quale?
Che toccherà a lui svegliare i genitori. Nulla di più efficace che affidare al bambino il ruolo del protagonista.

E come saprà quando svegliarvi? Eccoci alla funzione
dell'orologio: "Quando l'adesivo nasconde (tocca, co-
pre…) la lancetta grande svegliaci e noi ti faremo una sorpresa." Quale sorpresa? Qualunque cosa ci venga in mente: una festa, un regalo… possiamo nascondere palloncini
sotto il letto, organizzare una piccola battaglia a colpi di
cuscino, gettare stelle filanti, offrirgli un pensierino. Non
importa spendere, quel che conta è la sorpresa. Ciò che va
rigorosamente evitato è dirgli qualcosa come: "Aspetta
un momento, ora veniamo." Se lui ha rispettato il patto
voi dovrete fare lo stesso.

Come riuscire a farlo resistere per quelle due intermi-
nabili ore tra le otto e le dieci? Preparando lo scenario. Il
pomeriggio precedente, dopo la scuola materna, uno di
voi o entrambi andrete con il piccolo a comprare la colazione per la mattina dopo. È molto importante farlo insieme con lui, che in questo modo si sentirà partecipe.
Scegliete qualcuna delle cose che gli piacciono di più: un
dolcetto al cioccolato, una brioche, una merendina. Una
volta a casa disponete tutto sopra un tavolino vicino al
suo letto, in modo che al mattino dopo abbia tutto a portata di mano. Un'altra idea niente male: comprargli un
giocattolo particolare per il sabato e la domenica mattina.
Dandogli un elemento nuovo lo aiuteremo a distrarsi e ad
aspettare tutto quel tempo.

Il primo giorno si alzerà alle otto, farà colazione e alle otto e cinque sarà in camera vostra urlando: "Festaaa!" Non avendo ancora imparato è normale che agisca così. E voi che fate? Le stesse cose della notte: tornate in camera sua, mostrategli l'orologio e spiegategli che non è ancora l'ora, che non succede nulla. "Tu rimani qui a giocare con i tuoi giocattoli e quando la lancetta corta e grossa coprirà l'adesivo svegliaci. Vedrai che bella sorpresa." E ricominciate con la tabella dei tempi, stavolta non per farlo dormire ma per farlo giocare e per insegnargli a stare un po' da solo.

Potete anche 'truccare' l'orologio. Per esempio, se il bambino si sveglia abitualmente alle otto e volete che vi chiami alle dieci mettete la lancetta avanti di un'ora, in modo che quando si desta la veda segnare le nove e aspetti solo sessanta minuti per entrare in camera vostra. Lui non capisce gli orari e guarderà solo l'adesivo e la lancetta più corta e più grossa. Una volta raggiunto l'obiettivo potete regolare l'orologio finché il bambino non riuscirà ad aspettare le due ore. Buona fortuna!

Capitolo VI

"Altri problemi", ovvero come affrontare gli incubi e le altre turbe del sonno

Vanno sotto il nome di turbe notturne tutti i fenomeni che si verificano durante il sonno, a prescindere dal fatto che lo interrompano o meno. Sono un miscuglio di stati di sonno

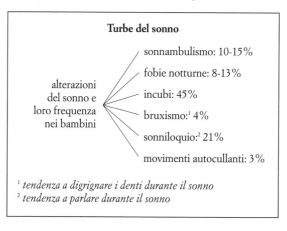

Turbe del sonno

alterazioni del sonno e loro frequenza nei bambini

- sonnambulismo: 10-15%
- fobie notturne: 8-13%
- incubi: 45%
- bruxismo:[1] 4%
- sonniloquio:[2] 21%
- movimenti autocullanti: 3%

[1] *tendenza a digrignare i denti durante il sonno*
[2] *tendenza a parlare durante il sonno*

e di veglia parziale: il sonnambulismo, le fobie notturne, gli incubi, il bruxismo, il sonniloquio e i movimenti auto-cullanti.[1] Le turbe del sonno che si manifestano durante l'infanzia non sono in genere gravi, anche se bisogna ri-conoscere che possono turbare la vita familiare. L'età cri-tica' va dai tre ai sei anni.

Il sonnambulismo

Un caso classico è quello del bambino di quattro o cinque anni che si alza dal letto, accende la luce e, con passo goffo e a occhi aperti, entra in bagno per far pipì, ma invece che nella tazza la fa nella vasca o in una scarpa (non vi stupite, non è la prima volta che capita). Poi torna in camera sua, spegne la luce, torna a letto e continua a dormire. Il mat-tino dopo non ricorda niente.

Questo fenomeno, che si verifica di solito durante le prime tre o quattro ore di sonno, consiste nella ripetizio-ne automatica di comportamenti appresi durante il gior-no; lo stato di sonno profondo spiega i movimenti goffi e incongrui del sonnambulo. La causa di questi episodi è ignota e non esistono terapie per scongiurarli. Le manife-stazioni sono più frequenti nelle famiglie con precedenti di sonnambulismo e scompaiono normalmente nell'età adolescenziale.

Ciò detto, vi interesserà sapere che è un'anomalia beni-gna e, soprattutto, che non è pericolosa quanto comune-mente si crede. Un sonnambulo non si butta mai dalla fi-nestra, ma può uscirne scambiandola per la porta. Perciò, se vostro figlio è sonnambulo, dovrete adottare misure di sicurezza per evitare incidenti.

Che altro fare? Niente, se non cercare di rimetterlo a let-to senza svegliarlo. Anche se non è vero che, come vuole un diffuso pregiudizio popolare, possa morire dallo spavento se bruscamente ridestato, svegliandolo lo lascereste stordito: dorme profondamente e non capirebbe che cosa succede. Meglio parlargli in tono molto sommesso e con frasi semplici del tipo "Vieni a letto", "Su, vieni con me". Non fategli domande né cercate di stimolarlo al dialogo. Una volta riportato a letto va lasciato tranquillo.

Un caso di sonnambulismo

(*Giacomo, 4 anni e 6 mesi*)

- Da cinque mesi, con una frequenza di circa tre-quattro volte al mese e dopo aver dormito due o tre ore, si alza, va in bagno e fa pipì per terra.

- Normalmente non parla né urla, non accende la luce e il giorno dopo non ricorda nulla.

- È assolutamente normale dal punto di vista fisico e psichico.

- Da bambino il suo papà faceva lo stesso.

- Gli episodi sono scomparsi progressivamente in maniera spontanea.

Gli incubi

Si verificano sempre nella seconda metà della notte,[2] di solito allo spuntar del giorno. Sono sogni che ingenerano ansia nel bambino, facendolo ridestare angosciato, urlante e impaurito. Hanno il vantaggio che il piccolo è in grado di spiegarli: "Giorgio mi ha picchiato", "Il cane mi ha morso", "Il lupo cattivo mi voleva mangiare". Ciò consente ai genitori di rassicurarlo: "Vedi? Giorgio (o il lupo) non c'è"; "Questa è la tua cameretta e tu dormi con Dodo e le tue cose. Il papà e la mamma sono qui vicino a te e non devi aver paura", in modo da far ritornare il bambino alla calma.

In genere gli episodi durano poche settimane e sono in rapporto con fenomeni esterni che hanno destato nel piccolo un senso di inquietudine. Diverranno ricorrenti se il bambino è traumatizzato da qualcosa di concreto: per esempio, se lo obbligate a mangiare e ogni pasto diventa un dramma o se si sente sollecitato in qualsiasi altra maniera gli incubi rifletteranno quest'angoscia. Al contrario, i fenomeni decresceranno d'intensità e di frequenza con la progressiva attenuazione dello stato ansioso.

Incubi

(Mariella, 5 anni)

• La notte si sveglia bruscamente urlando e chiama la mamma, spiegandole che la stanza è piena di 'mostri' che vogliono mangiarla. Si nascondono sotto il letto e hanno denti lunghissimi.

• Ciò si verifica normalmente nelle prime ore del mattino, con una frequenza di cinque-sei volte la settimana. Si manifesta in particolare in coincidenza con l'inizio della stagione scolastica o quando torna a scuola dopo le vacanze.

Se vostro figlio ha gli incubi non c'è bisogno di consultare il medico: basterà aiutarlo a tranquillizzarsi. Dandogli sicurezza si calmerà e li supererà. Per non pregiudicare la sua corretta abitudine al sonno vi sconsigliamo di portarlo nel vostro letto.

Le fobie notturne

Si verificano nella prima metà della notte, associate al sonno più profondo, e hanno la caratteristica di destare bruscamente il piccolo, che comincia a urlare quasi fosse in preda ad atroci sofferenze. Quando i genitori corrono in suo aiuto si trovano dinanzi un bambino pallido, che suda freddo, terrorizzato e incapace di riprendere contatto con la realtà. Qualunque cosa dicano lui non li riconoscerà e, se la mamma e il papà sono a digiuno sull'argomento delle fobie notturne, credono che stia per morire.

Fobie notturne

(Sara, 3 anni e 2 mesi)

- Si sveglia all'improvviso urlando di spavento: ha lo sguardo terrorizzato, suda freddo, è scossa da un leggero tremore ed è in preda a un intenso pianto.

- I genitori vivono la situazione con grande angoscia perché non riescono a calmare la bambina, che non risponde né presta attenzione a nessuno stimolo.

- Non riescono a comunicare con la piccola, che pare come assente.

- Le manifestazioni durano dai due ai dieci minuti e il giorno dopo la bambina non ricorda più nulla.

E invece non succede nulla: il bambino non reagisce e non ha la minima coscienza di ciò che succede perché è profondamente addormentato.

Questo 'orrore' dura tra i due e i dieci minuti; se vi capita di assistervi non cercate di svegliare vostro figlio, impresa quasi impossibile tanto profondamente è addormentato. Se poi vi riuscisse non fareste che peggiorare le cose. Al contrario di quanto accade con gli incubi, il giorno dopo non ricorderà niente.

Che fare? Restategli accanto per vigilare che non cada dal letto, e nient'altro. Bisogna solo aspettare che gli passi, cercando di mantenere la calma. Così come gli incubi, le fobie notturne compaiono intorno ai due-tre anni e spariscono spontaneamente con l'inizio dell'adolescenza.

Un avvertimento: se accorrete e smette di piangere non è in preda a una fobia notturna, ma sta ricorrendo a un certo comportamento per provocare la vostra reazione. In tal caso bisognerà rieducare la sua abitudine al sonno.

Il bruxismo

Il bruxismo, ovvero la tendenza a digrignare i denti, è dovuto alla tensione accumulata nella zona della mandibola. Durante il sonno questa tensione si scarica, provocando quel rumore che tanto preoccupa i genitori. Dovrete solo agire se la contrattura è così forte da rischiar di provocare danni alla dentatura. Per evitarlo chiedete al dentista di fare un'apposita protesi dentaria che vostro figlio dovrà usare tutte le sere. In caso contrario non c'è bisogno di far nulla: il bruxismo scomparirà con la crescita.

Il sonniloquio

Può darsi che vostro figlio urli, pianga, rida o parli nel sonno, soprattutto di prima mattina. Di norma pronuncia parole slegate, più o meno incomprensibili, oppure mozziconi di frasi che il giorno dopo non ricorderà. Questo fenomeno va trascurato perché avviene mentre il piccolo è addormentato, e dunque non ne turba il riposo. Problemi possibili: se divide la stanza con qualcuno è probabile che non lo lasci dormire. Se poi urla finirà con lo svegliare se stesso, anche se in tal caso dovrebbe potersi riaddormentare da solo.

I *movimenti autocullanti*

I più frequenti sono i colpi di testa sul cuscino e il dondolio di tutto il corpo quando il bambino giace a pancia in giù. A quanto pare si tratta di un comportamento da lui elaborato nel tempo per rilassarsi e prender sonno. Questo dondolio, che può essere accompagnato da suoni gutturali, inizia in genere verso i nove mesi e raramente si protrae oltre i due anni di età.

I genitori si spaventano per la spettacolarità di questi movimenti, che possono essere discretamente rumorosi e violenti al punto di spostare la culla. Tuttavia, sempre che il bambino non si faccia del male, non devono preoccuparsi. Per evitare i possibili inconvenienti si può ricorrere a qualche piccola precauzione: se per esempio tende a urtare la testiera della culla o del lettino, imbottiteglela di cuscini. Se non riesce a calmarsi o colpisce le stecche dei cancelletti consultate uno psicologo per scartare l'eventualità di una psicopatologia. Un segnale che deve metterci sul chi vive: la tendenza a dondolare costantemente anche di giorno.

I *russamenti*

Anche se non si tratta propriamente di una parainsonnia, non vogliamo concludere il capitolo senza alcune parole sul russamento.

Russa abitualmente tra il 7 e il 10% dei bambini. Se vostro figlio soffre di questo disturbo in modo persistente e, soprattutto, se lo vedete respirare a bocca aperta e con una certa difficoltà durante il sonno, vi conviene rivolgervi al vostro pediatra, che vi rimanderà eventualmente all'otorinolaringoiatra.

Capitolo VII

"Domande e risposte", ovvero
come risolvere i dubbi più comuni

Qual è il momento ideale per rieducare l'abitudine al sonno del bambino?

Ora e solo ora. Sempreché, naturalmente, i genitori siano entrambi d'accordo nel portare a termine il trattamento, che abbiano capito bene il perché di ogni 'mossa' e sappiano chiaramente come reagire in ogni momento. Se uno dei due non è del tutto convinto meglio non cominciare nemmeno, perché per poter far bene bisogna essere tranquilli e sicuri di sé. Lo ripetiamo ancora una volta: il bambino percepisce ciò che gli trasmettete. Se siete nervosi o ansiosi assorbirà come una spugna la vostra ansia e il vostro nervosismo e non riuscirà a raggiungere la tranquillità e la sicurezza necessarie per imparare.

Il trattamento non deve iniziare in coincidenza con un trasloco e neppure con un modesto spostamento di fine settimana. Per almeno dieci giorni non cambiate l'ambiente abituale del piccolo. Altrettanto fondamentale è l'assenza di influssi esterni: se avete ospiti spostate l'inizio della rieducazione al momento in cui siete di nuovo soli. Nulla di peggio che dover sopportare commenti ameni quali: "Siete sicuri di quel che fate?", oppure: "Povera piccina! Ai nostri tempi si sopportava e via. Oggigiorno la gioventù non tollera più nulla."

E per tenere al loro posto quei vicini poco comprensivi che appena sentono piangere il bambino bussano alla parete, minacciano di chiamare il 113 o dicono scemenze del tipo "Stanotte lo abbiamo sentito piangere, non lo picchierete mica…"? Niente di meglio di qualche astuta commediola. Esempio. La mamma bussa alla porta della signora Ersilia (la vicina più rompiscatole del secondo e del terzo millennio messi insieme) e le fa: "Scusi se la disturbo, ma il pediatra ha detto che Giorgetto ha l'otite e che l'orecchio gli farà presto un male d'inferno… Vorrei scusarmi in anticipo se lei e suo marito lo sentite piangere. Un guaio: pensi che se di qui a un mese non risolviamo il problema dobbiamo farlo operare." La mamma suddetta inizia il trattamento la sera stessa, e la mattina dopo, trovando la signora Ersilia sul pianerottolo, si sente dire in tono sommesso e costernato: "Lo abbiamo sentito piaaangere… Poveriiino, come deve patiiire!" Sennonché in meno di una settimana il bambino dorme e 'radio condominio' informa la signora Ersilia che l'otite di Giorgetto è guarita per miracolo.

Chi deve insegnare: la mamma? il papà? la baby-sitter?

'Chi' non importa: basta che la persona che di volta in volta si assume la responsabilità del trattamento abbia letto attentamente le istruzioni. Se è la baby-sitter a mettere a letto il bambino per la piccola siesta pomeridiana, in quel momento il compito di rieducarlo spetterà a lei; se è la mamma a farlo coricare la sera, la maestra sarà lei; se il papà approfitta dei fine settimana per stare di più con suo figlio, ecco venuto il suo turno. Conclusione: non importa chi lo fa, importa come lo si fa. In ogni caso, potendo scegliere è preferibile che a intraprendere il trattamento siano i genitori, e soprattutto il più calmo dei due.

Comunque, siccome è probabile che dobbiate entrare in camera sua molte volte per insegnargli a dormire da solo, potete darvi il turno: così vedrà che agite ambedue nella stessa maniera. Ricordate: gli date tutti e due la pappa con il cucchiaio, non importa chi gliela dà. Lo stesso deve valere per il sonno: l'importante è l'uniformità dei comportamenti.

Può dormire in casa dei nonni?

I genitori sono fatti per educare i figli, i nonni per viziare i nipoti. Ciò significa che prima di chiedergli di restare una notte con il bambino dovranno essere passati almeno dieci giorni dall'inizio del trattamento e il bambino dovrà aver imparato a dormire bene, cioè senza problemi o quasi.

Non pretendete poi di raccontare ai nonni quel che vi abbiamo spiegato in queste pagine, non cercate di fargli fare quel che avete fatto voi a casa vostra. Di regola i nonni non faranno un bel nulla di ciò che gli avrete proposto. Logico, visto che il loro ruolo è un altro. Basterà cercare di fargli capire superficialmente le regole fondamentali: che esiste un'ora precisa per mandarlo a letto, che non devono far niente per addormentarlo, che non devono scordarsi del bambolotto né dei succhiotti… Faranno di testa loro, perciò niente preoccupazioni e soprattutto niente scenate.

Il bambino è una creatura intelligente: capirà subito che in casa dei nonni vigono regole diverse da quelle di casa sua. Nessun timore che uno sporadico soggiorno presso di loro metta in pericolo la sua rieducazione; sempreché, naturalmente, tornando a casa riprendiate la 'lezione' dal punto in cui si era interrotta e che continuiate a impartire i vostri insegnamenti in tutta tranquillità.

Tuttavia, se i nonni ospitano il bambino ogni giorno dovranno seguire rigidamente le istruzioni che seguite voi, perché, come già sapete, durante il periodo di apprendimento il piccolo non può ricevere insegnamenti eterogenei o, peggio, contraddittori. Tutti coloro che giorno dopo giorno lo accudiscono devono ripetere le stesse cose.

Cosa fare se vogliamo andar via il fine settimana?

Non c'è bisogno di noleggiare un Tir per portarvi dietro Dodo, la giostrina, il disegno, il letto, l'orologio, le tende... Le uniche cose da non dimenticare mai sono il suo bambolotto (Dodo) e i succhiotti (se li usa); gli andrà inoltre spiegato che dormirà in un altro posto.

Quando arrivate a destinazione parlate con lui, dicendogli sempre la verità. Spiegategli che dormirà in un posto diverso dal suo, approfittando degli elementi esterni esistenti nella camera: letto nuovo, tende, quadri alla parete, lampadari... In definitiva si tratta di adattare alla nuova situazione quel che di solito gli diciamo in casa. Per esempio: "Oggi dormirai in questo posto, con Dodo, i tuoi succhiotti e tutte queste cose, che oggi dormiranno con te."

Non cercate di mentirgli o di convincerlo che tutto procede come al solito. Ricordate: è intelligente, e si sentirà più sicuro se gli trasmetterete sicurezza. E questa si otterrà solo dicendogli il vero con molta calma e tranquillità.

Che facciamo se il bambino vomita oppure fa la pipì o la cacca mentre gli stiamo insegnando a dormire?

Mentre piange per provocare la 'reazione' degli adulti, il bambino non di rado vomita. Conosce l'arte di provocarsi il vomito e anche se non lo ha mai fatto prima potrebbe cominciare proprio mentre gli state insegnando a dormire. Perciò non preoccupatevi.

Sapete già che il fatto di rieducare l'abitudine al sonno di vostro figlio non ha nulla di punitivo, per cui quando vomita andate in camera sua e, anche se urla da strappare i timpani, parlategli con dolcezza per trasmettergli tranquillità: "Vedi amore, sei tanto arrabbiato perché ti stiamo insegnando a dormire e ora ti senti male e hai anche vomitato. Ma non succede nulla, la mamma e il papà ti vogliono tanto bene e ti cambiano il pigiama e le lenzuola, e adesso che sei bello pulito dormi qui con Dodo, il disegno e la giostrina." In questo modo risolviamo la situazione anomala – il vomito – senza cambiare la maniera di insegnargli a dormire.

Sapete già che quando vomita (= azione) vostro figlio cerca di ottenere una reazione: essere preso tra le braccia, avere un po' d'acqua, essere cullato e avervi con sé finché non si addormenta. Disgraziatamente non potete far nulla di ciò che si aspetta: dovete accudirlo (cambiarlo), ma non mutare il vostro modo di insegnargli a dormire. Essendo molto perspicace, si renderà subito conto che la sua azione non serve a nulla e la farà finita. Nello stesso modo potete agire se fa la pipì o la cacca. Se fa la cacca per attirare l'attenzione agite come per il vomito. Se vi dice di aver fatto pipì non prendetelo subito alla lettera ma cercate di verificare la faccenda senza parere, e se è vero cambiatelo solo dopo qualche minuto. Perché aspettare un po'? Perché se lo prendete immediatamente sul serio comincerà a inscenare una pipì dopo l'altra per avervi sempre accanto. Se prendete la situazione con calma si convincerà di non potervi tenere sotto controllo e ben presto smetterà di impiegare l'arma umida' per farvi reagire.

Se è ammalato possiamo iniziare il trattamento? Che succede se si ammala durante il processo di rieducazione?

Quando è malato è meglio non iniziare il trattamento. In questi casi conviene aspettare che si sia rimesso.

Se si ammala durante il trattamento dovrete agire in modo un po' diverso. Quando ha la febbre andate da lui ogni volta che piange per misurargli la temperatura e dargli le medicine del caso. Se sfiorandogli le labbra con la punta del dito le sentite secche dategli un po' d'acqua. Ma attenzione: solo perché ha la febbre e non per farlo dormire.

Fatto tutto il possibile per alleviare il disagio che gli provoca la malattia, lo lascerete "con Dodo, il disegno, i succhiotti e la giostrina" e ve ne andrete. Ciò malgrado, se il bambino è molto eccitato passateci insieme uno o due minuti parlandogli con dolcezza ma cercando di evitare che si addormenti mentre siete in camera sua.

Quando ricomincia a piangere non aspettate che passino i minuti indicati nella tabella dei tempi: andate da lui e ripetete l'operazione controllando la febbre, dandogli le medicine di cui ha eventualmente bisogno o applicandogli compresse fredde per abbassare la temperatura. Insomma, fate tutto quello che potete per alleviare il suo malessere; poi lasciatelo "con Dodo, il disegno, i succhiotti e la giostrina" e andatevene.

Non appena si sarà ristabilito dovrete ritornare all'insegnamento 'tradizionale'. Questo momento può risultare pericoloso se durante la malattia i genitori sono stati molto accondiscendenti. Vostro figlio non vorrà perdere i benefici temporanei acquisiti: di conseguenza sperimenterà ogni genere di trappola (= azione) per cercare di recuperare il trattamento di favore di cui godeva. Che fare? Mostratevi di nuovo dolci ma decisi e ripetete gli insegnamenti che vi abbiamo spiegato.

Mio figlio va alla scuola materna. Devo fare raccomandazioni particolari a chi lo accudisce?

È normale che all'asilo i bambini dormano bene, perché lì hanno orari ben organizzati: mangiano a mezzogiorno, fanno merenda intorno alle 16, il pisolino pomeridiano avviene sempre alla stessa ora e in condizioni esterne sempre uguali… Non potendo tenere un comportamento diverso con ogni bambino, gli insegnanti e gli addetti della scuola materna impostano abitudini corrette che il piccolo impara velocemente.

Molte mamme confessano con un angosciante senso di colpa che il loro figlio si sveglia come minimo quattro o cinque volte per notte, mentre all'asilo non ha problemi. "Ho parlato con la sua maestra – racconta una di loro – aspettandomi che dicesse 'L'ora del pisolino è un dramma'. Invece ha risposto: 'Macché, dorme bene come gli altri. Lo sdraiamo sul suo materassino e si addormenta come un masso, senza far caso ai colpi di tosse e ai rumori dei compagni'. Mi domando: se è proprio così, perché a casa fa tutte quelle scene?"

Conclusione: non preoccupatevi di ciò che combina alla scuola materna. Quel che importa è fare le cose per bene in casa, cioè insegnargli a dormire correttamente. Lasciate che a scuola vostro figlio si comporti come tutti gli altri, senza interferire nelle sue abitudini.

Perché alcuni bambini soffrono d'insonnia e altri no? Ci sono cause ereditarie?

A partire dai primi due-tre mesi di vita i periodi di sonno notturno diventano sempre più lunghi grazie a un gruppo di cellule del cervello dette 'nucleo suprachiasmatico dell'ipotalamo'. Queste cellule agiscono come un orologio che regola le diverse necessità del bebè (il sonno, la veglia, la fame eccetera) e che finisce con il farlo adattare a un ritmo biologico di ventiquattr'ore (vedi capitolo II).

Ci sono bambini il cui 'orologio' è, per dire così, un po' pigro. Questi piccoli hanno bisogno di insegnamenti più intensivi (routine e abitudine al sonno) perché l'orologio cominci a funzionare e influisca correttamente sul ritmo biologico veglia-sonno. Perciò in una stessa famiglia possono esserci bambini che dormono senza problemi e altri che soffrono d'insonnia. La ragione per cui alcuni piccoli (circa il 35% della popolazione infantile) hanno un 'orologio pigro' è ignota. Si parla di cause ereditarie, ma non esistono ancora studi scientifici che confermino questa ipotesi.

Sappiamo già che è inopportuno dargli bevande con caffeina. Ci sono altri alimenti sconsigliabili?

Tutte le sostanze stimolanti possono avere un influsso negativo sul sonno. In molti soggetti anche adulti la caffeina (che si trova nel caffè e nelle bibite alla cola) e la teina (sostanza affine che si trova nel tè) provocano difficoltà ad addormentarsi. Anche il cacao – che si trova nel cioccolato e in alcune bevande – può ostacolare il sonno se assunto in quantità eccessiva. Perciò è sconsigliabile consumare questi prodotti a cena o immediatamente dopo.

È inoltre dimostrato che certi alimenti hanno proprietà eccitanti e altri sedative. Le proteine animali (che si trovano nelle carni e, in minor misura, nel pesce) sono stimolanti, mentre i carboidrati (pappe, pasta, biscotti ai cereali) favoriscono il sonno. Per questo i pediatri consigliano di somministrare ai bambini alimenti proteici nel pasto di mezzogiorno, lasciando i carboidrati per la cena.

Si consiglia di fargli il bagnetto prima di cena.
Che succede se invertiamo l'ordine bagno-cena
o se gli facciamo il bagnetto la mattina?

Le abitudini igieniche, di cui il bagno fa parte, si imparano come tutte le altre abitudini: collegando oggetti esterni (acqua, vasca, spugna, accappatoio) con una situazione concreta (igiene). Non importa il momento della giornata che si sceglie per fargli il bagno; l'importante è farglielo sempre nella stessa sequenza, in modo che il bambino possa collegarlo con ciò che verrà dopo. L'ordine può essere: bagno, cena e sonno; oppure, se glielo si fa la mattina: bagno, colazione, passeggiata eccetera. È fondamentale non essere anarchici e cercare di far sempre (o quasi) ogni cosa alla medesima ora e in identiche condizioni.

Può guardare un po' la tivvù prima di dormire?

Di per sé guardare la televisione non è negativo per il bambino, così come non lo è sentire la radio o ascoltare musica. È negativo farglielo fare in maniera non controllata e costante. Il piccolo può guardare la televisione per un periodo di tempo assai limitato (mezz'ora al massimo), se possibile in compagnia di un adulto che possa spiegargli meglio che cosa sta vedendo.

Il momento più consigliabile è tra le 18 e le 19, cioè prima di dare inizio alle routine bagno-cena-sonno. Non è bene che guardi la televisione dopo cena e prima di andare a letto, perché ciò che vede può eccitarlo e perché, se si addormenta davanti al televisore preso dal sonno, avremo già cominciato a far le cose nella maniera sbagliata.

Nostro figlio ha paura se lo lasciamo al buio…

Ciò significa che da tempo gli state insegnando scorrettamente l'abitudine al sonno e, in particolare, che avete lasciato la luce accesa per farlo dormire. Così il bambino ha finito con l'associare la luce al sonno: quindi se la notte si sveglia in piena oscurità si sente mancare la luce e piange finché non la rivede accesa. Per riaverla, il piccolo già in grado di esprimersi spiega il suo bisogno dicendo di aver paura del buio: sa che 'paura' è la parola chiave, l''apriti sesamo' per spalancare la porta del cuore dei genitori, suscitando in essi una reazione favorevole ai suoi desideri.

Il modo più efficace per combattere questa situazione è:

• assicurarsi che il bambino non soffra di un disturbo psicologico grave. È facile accertarsene: se ha un problema del genere ha paura a qualunque ora del giorno e non solo di notte. In altri termini, manifesta timore in molte situazioni quotidiane: ha paura di andare da solo in bagno, di guardare la televisione senza qualcuno accanto, di accompagnare la mamma al supermercato. Per fortuna questo tipo di fobia patologica è raro: la cosa più probabile è che il piccolo stia manipolando la situazione;

• accertato che non soffre di alcun disturbo psicologico, procederemo seguendo le istruzioni del capitolo IV, in modo da rieducare la sua abitudine al sonno.

Il mio bambino ha cominciato a dormire male quando è stato ricoverato in ospedale.
Ora è a casa ma continua a soffrire d'insonnia…

Non c'è da stupirsi. Nell'ospedale ha individuato un ambiente ostile: gli facevano le iniezioni, gli misuravano la febbre, doveva prendere le medicine, si sentiva male… Un bambino non vive le terapie come un qualcosa che medici e infermiere fanno per il suo bene, ma come un atteggiamento aggressivo nei suoi confronti. Perciò è probabile che cominci a dormire male se prima dormiva bene, o a dormire peggio se già dormiva male.

I problemi permangono anche dopo che è stato dimesso. In ospedale ha dormito in una stanza che non era la sua e, soprattutto, ha avuto quasi sempre accanto a sé la mamma o il papà. Non capisce che erano sempre lì a causa della sua malattia e si aspetta che questa situazione continui anche a casa.

Che fare? Poco, purtroppo, durante il ricovero: possiamo solo cercare di farglielo trascorrere nel modo migliore. Tuttavia, una volta tornati a casa dovremo ricominciare da capo l'insegnamento secondo le istruzioni che abbiamo letto nel capitolo IV.

Da che cosa deriva l'insonnia?

Un cambiamento di routine può far regredire o comunque ostacolare il corretto processo di apprendimento del sonno. L'arrivo di un fratellino, per esempio, sconvolge radicalmente la vita del bambino, che capisce subito di non essere più il piccolo, incontrastato monarca della casa. Per la stessa ragione può rimanere sconcertato dall'ingresso nella scuola materna, perché in mezzo a tanti altri bambini non si sente più al centro dell'attenzione. Queste difficoltà rientreranno nel giro di pochi giorni – il tempo necessario per assimilarle – e non devono turbargli il sonno, soprattutto se i genitori non lasceranno che ciò accada.

Spieghiamoci meglio. L'arrivo di un fratellino non deve comportare un diverso modo di dormire: non cominceremo a stargli sempre accanto, a cullarlo finché non prende sonno o ad assumere altre iniziative improprie. Davanti a qualunque situazione nuova bisogna seguire la solita routine di insegnamento, parlando con il bambino – sempre sicuri di noi, sempre tranquilli – di quel che succede per fargli vedere che il fratellino o l'asilo non sono ragioni valide per cambiare la corretta abitudine al sonno.

Anche un eventuale trasloco non deve diventare un problema. Parliamogli di quel che succederà e spieghiamogli che avrà una nuova camera e che, con il suo aiuto, la decorerete con poster, disegni, bambole... Ditegli la verità e coinvolgetelo nel cambiamento. Il bambino deve accettare con piacere la sua nuova casa e vivere la situazione normalmente, come vede fare ai genitori.

Se poi eventi del genere hanno già provocato problemi non c'è che una soluzione: rieducare la sua abitudine al sonno secondo le istruzioni del capitolo IV.

Mio figlio dorme più di giorno che di notte...

Se il sonno più lungo si svolge di giorno ciò significa che il ritmo veglia-sonno non è ancora assestato. In tal caso comportatevi come abbiamo spiegato nel capitolo V.

*Ogni notte la mia bambina di 14 mesi si sveglia
verso le 4 del mattino e chiede il biberon
o l'acqua. A volte non li tocca nemmeno,
altre volte finisce tutto e poi si riaddormenta.
È normale questo comportamento?*

Molto spesso i bambini prendono il biberon o bevono acqua durante la notte, ma ciò non vuol dire che abbiano davvero fame o sete. Alcuni imparano fin da lattanti che se piangono di notte avranno il biberon. Nella maggioranza dei casi ciò che chiedono veramente è la presenza dei genitori, perché hanno bisogno di calore ma non sanno parlare per spiegarlo. Bevono un po' per farsi rimanere accanto la mamma o il papà; dopodiché si addormentano. Quando si ridestano per chiedere compagnia gli ridanno il biberon e il bambino beve di nuovo. Così i genitori finiscono con l'interpretare ogni pianto come una manifestazione di sete o di fame.

Quando sono un tantino cresciuti, questi bambini, conoscendo ormai il trucco, lo usano per far accorrere i genitori tutte le notti. Quella dell'acqua e/o del biberon è divenuta una routine associata al sonno, e il pianto con la scusa della fame o della sete un'azione per ottenere la reazione dei genitori. Conclusione: il fatto che il piccolo prenda il biberon non significa che abbia fame o sete.

Al bambino dobbiamo dar da bere durante il giorno, ma da quando ha finito di cenare non diamogli più nulla. Un bambino che beve in abbondanza di giorno non ha sete di notte. Se si sveglia e chiede acqua dimostra solo un cattivo apprendimento dell'abitudine al sonno (vedi capitolo IV). La stesso si dica della fame: se mangia bene durante il giorno e la sua curva ponderale è quella giusta, dai sei o sette mesi in poi non deve più aver bisogno di nutrirsi di notte.

Le uniche eccezioni alla regola derivano da situazioni particolari, per esempio la febbre. Allora potrete dargli qualche cucchiaino d'acqua pura o qualche sorsetto di acqua zuccherata (buona, tra l'altro, contro l'acetone), le gocce per la febbre o gli antibiotici per la gola. Conclusione: al più l'acqua serve in caso di malattia, non per farlo dormire.

Mio figlio va a letto dopo le 23 perché mio marito torna a casa a quell'ora e vuole vedere il bambino. Sbagliamo a tenerlo sveglio fino a tardi?

Questa situazione è frequente ed è comprensibile, perché tutti i genitori desiderano vedere i loro bambini. Tuttavia, se siete sinceri, dovete riconoscere che godere della sua compagnia senza tener presenti le sue necessità biologiche è un atteggiamento egoistico. Per il suo benessere vi consigliamo di rispettare in ogni modo gli orari proposti (dalle 20 alle 20.30 in inverno e dalle 20.30 alle 21 in estate).

Per lo stesso motivo è sconsigliabile allungare esageratamente il pisolino postprandiale o farglielo fare a fine pomeriggio per riuscire a mantenerlo sveglio fino a tardi. In questo modo si ottiene soltanto di alterare ancor più le sue abitudini e i suoi ritmi sonno/veglia. Infatti, come già sapete, il momento ideale per metterlo a letto è tra le 20 e le 21 perché in questo lasso di tempo il cervello ha più facilità a 'entrare' nel sonno. Non è vero che mettendolo a letto più tardi si addormenterà prima (al contrario gli sarà passata l'ora, con tutte le conseguenze del caso). I genitori che hanno provato questo pseudotrucco lo sanno benissimo.

Allora non siate egoisti. Pensate che, soprattutto tra i cinque e i sette mesi, vostro figlio va aiutato ad acquisire una corretta abitudine al sonno e che se non riuscirà a farlo potrà soffrire di disturbi mentali e fisici.

Come si fa a sapere che non piange per le coliche?

Le coliche spariscono tra il quarto e il quinto mese di vita. Se il bambino è più piccolo tenete presente che calmare un neonato in preda alla colica è davvero difficile. Perciò, se quando lo accudite il suo pianto cessa rapidamente – vale a dire entro i due o tre minuti – non si tratta di colica, ma di un comportamento acquisito finalizzato a richiamare la vostra attenzione.

Altra indicazione: di solito le coliche iniziano nel pomeriggio o nelle prime ore del giorno e possono durare diverse ore. Non insorgono mai solo di notte.

Vi esortiamo ancora una volta a non cadere nella tentazione di 'far qualcosa' ogni volta che il bambino piange. Se cadete in questa trappola il bambino capirà che ogni volta che piange qualcuno corre da lui, atteggiamento scorretto che può pregiudicarne l'apprendimento e quindi il sonno.

Colica: pianto che non si calma o che necessita più di un quarto d'ora di attenzione da parte di chi accudisce il bambino. Può insorgere di giorno come di notte.

Risveglio notturno: se non è indizio di una patologia, il pianto si calma quando chi accudisce il bambino lo accarezza, sta con lui o lo prende in braccio. Insorge esclusivamente di notte.

A mio figlio stanno spuntando i denti e dorme molto male…

Questo è uno degli argomenti classici per giustificare i disturbi del sonno dei bambini. Secondo quanto si ritiene comunemente i denti che spuntano fanno male, ma questa opinione non è scientificamente dimostrata. Se al vostro piccolo stanno spuntando i dentini e si sveglia la notte richiedendo la vostra presenza, probabilmente lo faceva anche prima: in altri termini, non si sveglia per il dolore ma perché ha una cattiva abitudine al sonno. È perciò indispensabile rieducarlo.

Sono consigliabili i farmaci usati per 'far dormire' i bambini?

Benché in generale siano poco propensi a somministrare medicinali ai loro figli, i genitori afflitti dai continui risvegli notturni di un piccolo guastafeste finiscono con il ricorrere, come 'ultima spiaggia', a certi farmaci. Non esistono studi specifici sulla loro tossicità per i bambini, ma considerando i gruppi farmacologi cui appartengono possiamo pensare che non siano innocui. Nei foglietti illustrativi viene detto esplicitamente che ai bambini vanno somministrati 'con cautela', espressione questa tanto nebulosa quanto inquietante.

C'è di più: l'insonnia infantile dovuta ad abitudini scorrette non è una malattia, per cui è illogico trattarla con medicinali. Inoltre l'esperienza dimostra che gli ipnotici non risolvono il problema alla radice.

Un bambino prematuro avrà particolari problemi di sonno?

No, non dovrebbe avere problemi diversi da quelli di un bambino nato da una gravidanza portata regolarmente a termine. Infatti gli stimoli che regolano il suo orologio biologico sono gli stessi: luce/oscurità, rumore/silenzio, orari dei pasti e abitudine al sonno.

Abbiamo due gemelli. Possono dormire insieme?

Nessun problema, a condizione di rispettare le corrette regole per insegnargli a dormire. Dai sei mesi in poi potete insegnare con la stessa tecnica a tutti due insieme.

Se invece cercate di correggere la cattiva abitudine di due bambini che dormono insieme sarà meglio che li separiate per istruirli individualmente, giacché la loro risposta può essere diversa. Quando dormiranno bene potranno tornare a dormire insieme.

Se per motivi logistici non potete separarli cercate di applicare la nostra tecnica contemporaneamente a entrambi.

Mio figlio ha due anni e non vuol fare il pisolino. In certi casi non sarà meglio rinunciarci?

All'ora del pisolino va applicata la stessa tecnica che si usa per rieducare l'abitudine al sonno. Se è vero che al bambino facciamo mangiare la pappa con il cucchiaio tanto a colazione quanto a pranzo o a cena, dobbiamo tenere lo stesso comportamento per il sonno: il riposo notturno e il pisolino diurno vanno insegnati nella stessa maniera.

Intorno ai tre anni, spesso in relazione all'ingresso nella scuola materna, molti bambini smettono di fare il pisolino pomeridiano. Questo cambiamento di abitudini può influenzare il loro sonno notturno perché, arrivando alla sera più stanchi, dormono più profondamente, con un maggior rischio di episodi di sonnambulismo e fobie notturne.

La pratica del pisolino pomeridiano è consigliabile almeno fino ai quattro anni di età.

Appendice

"Quando costa un po' di più", ovvero come affrontare i casi più difficili

Da quando è uscita la prima edizione di questo libro (marzo 1996) abbiamo ricevuto innumerevoli lettere di genitori riconoscenti per aver finalmente recuperato il sonno.

Certe sono davvero simpatiche, come quella in cui si legge solo un 'grazie!', ma così grande da riempire un foglio di formato A4. Altre, la maggioranza, vanno sul tenero, come quella di una nonna che ha regalato il libro al figlio: "Avevo paura che mia nuora lo lasciasse. Lei era esausta perché la mia nipotina di un anno e mezzo si svegliava mille volte per notte. Un giorno, dopo aver visto il dottor Estivill alla televisione, ho deciso di comprare il libro. L'ho dato a Giovanni e gli ho detto: 'fai qualcosa, sennò Rossana ti molla'. Non vi immaginate come si è svegliato: l'ha imparato a memoria e l'ha fatto leggere a Rossana. Dopo pochi giorni la bambina dormiva. Non c'è bisogno di dire che sono di nuovo felici." Insomma, finora *Fate la nanna* è stato fonte di grandi soddisfazioni per gli autori. Perché negarlo? Tuttavia abbiamo anche ricevuto alcune lettere – in verità poche – di genitori che ci raccontano le difficoltà da loro provate nel rieducare i figli all'abitudine al sonno.

Perciò, volendo approfondire i motivi che possono ostacolare il successo del metodo, ci siamo messi in contatto con alcuni di loro e abbiamo riesaminato le storie cliniche dei pazienti infantili trattati nel nostro ambulatorio negli ultimi sette anni, per un totale di 823 bambini in età compresa tra i sei mesi e cinque anni.

Ecco quel che abbiamo scoperto:

- nel 96% dei casi i risultati sono stati pienamente soddisfacenti;

- nel rimanente 4% sono insorte varie difficoltà. Alcuni bambini sottoposti al trattamento non sono mai riusciti ad addormentarsi da soli; altri sono regrediti dopo un certo successo iniziale.

I problemi che abbiamo riscontrato sono reali o falsi.

I problemi reali

- Il metodo non è stato ben compreso.

- Il libro è stato letto da un solo genitore.

- Il bambino è accudito da più persone.

- Una terza persona che vive in casa interferisce nell'applicazione del metodo.

- Il bambino si ammala durante il periodo d'istruzione.

- La vita del bambino è stata sconvolta da un evento più o meno traumatico: la separazione dei genitori, la nascita di un fratellino, oppure l'ingresso nella scuola materna, un trasloco…

- Uno dei genitori soffre di stati ansiosi di carattere patologico.

- La famiglia si sposta nei fine settimana.

- Un viaggio ha provocato un cambiamento rilevante nei suoi orari.

Vediamo ora cosa bisogna fare in ognuno di questi casi.

Il metodo non è stato ben compreso

Abbiamo cercato di scrivere questo libro in maniera semplice e scorrevole per poter catturare la vostra attenzione e riuscire a farvi capire perfettamente il metodo. Sennonché alcuni genitori, troppo ansiosi di risolvere il problema, ne hanno letto solo i capitoli – o i passi – che consideravano importanti. È quindi ovvio che al momento di applicare il metodo abbiano miseramente fallito. Bisogna che prima di cominciare il trattamento i genitori leggano il libro separatamente, anche due volte se necessario. Quando devono rieducare l'abitudine al sonno li consigliamo di 'sciropparsi' con particolare attenzione il secondo e il quarto capitolo. Se non sono padroni del metodo l'insicurezza verrà prima o poi a galla e, furbo com'è, il piccolo avrà partita vinta.

È troppo dedicare un paio d'ore a un libro capace di risolvere un problema tanto serio? Prima di pubblicare *Fate la nanna* ne abbiamo sperimentato l'efficacia consegnando le bozze di stampa a varie coppie per renderci conto se fosse davvero facile da capire e soprattutto veloce da leggere. Ebbene, il tempo medio di lettura da dedicargli per riuscire a rieducare un bambino non ha superato le due ore. Un consiglio, allora: rileggete il libro, questa volta con scrupolo, e ricominciate da capo.

Il libro è stato letto da un solo genitore

In questo caso, accampando di solito il pretesto della mancanza di tempo, uno dei genitori (quasi sempre 'lui') non legge il libro e si lascia guidare dalle spiegazioni dell'altro. È un problema simile al precedente ma molto più grave, perché significa che è uno solo dei genitori a caricarsi di tutte le responsabilità della (ri)educazione del figlio.

Può darsi che dal lunedì al venerdì il papà arrivi a casa tardi e non abbia modo di far coricare il bambino. Nel fine settimana e in generale nei giorni festivi è invece probabile che desideri (o debba) dare una mano; se però non padroneggia il metodo può rovinare tutto il lavoro della mamma. È quindi fondamentale che anch'egli sappia esattamente come agire. Non bastano le spiegazioni della moglie: per capire la tecnica bene come lei deve leggere il libro.

Inoltre la complicità è fondamentale per poter affrontare i momenti in cui, come di solito accade, sorgeranno dubbi e insicurezze. Per farvi rinunciare all'impegno di insegnargli a dormire il bambino è capace di combinarne di tutti i colori. Veder singhiozzare un marmocchio 'disperato' è avvilente e ci mette addosso una gran voglia di mollare. Proprio in queste situazioni bisogna armarsi del convincimento che ciò che si fa è giusto. Se solo uno di voi sa come agire a chi si appoggerà in caso di dubbio?

Insomma, è fondamentale che tutti e due usiate il metodo. Ciò non significa che dobbiate farlo lo stesso numero di volte ("un giorno tu, uno io") o insieme: significa semplicemente farlo nella stessa maniera.

Il bambino è accudito da più persone

Quando il bebè ha i genitori che lavorano, il compito di farlo coricare la sera, o almeno all'ora del pisolino, spetta alla persona che si prende cura di lui: la nonna, un parente, la tata… Chi lo accudisce, chiunque sia, deve agire esattamente come farebbero i genitori, cioè seguire la tecnica alla lettera. Qualsiasi differenza di comportamento potrebbe pregiudicarne il successo.

Se quando gli date da mangiare agite tutti nello stesso modo (lo sistemate sul seggiolone, gli mettete il bavaglino e gli date la pappa con il cucchiaio), non si vede perché non dovreste seguire la stessa uniformità di condotta quando lo mettete a letto. In conclusione: non importa chi gli insegna, l'importante è che tutti gli insegnino nella stessa maniera. Questo significa che tutti coloro che accudiscono il bambino dovranno leggersi il libro o quantomeno sorbirsi pazientemente le vostre spiegazioni.

Una terza persona che vive in casa interferisce nell'applicazione del metodo

Che vengano a conoscere il metodo direttamente da noi in ambulatorio o che lo imparino da questo libro, i genitori capiscono perfettamente ciò che accade al loro bambino e apprendono in modo soddisfacente le norme da applicare per insegnargli a dormire. Ma una terza persona che vive in casa – di solito una nonna o un nonno – può non seguire queste regole, pregiudicando l'efficacia del metodo o perché non lo conosce o perché ne mette in dubbio la validità.

Un classico: dopo aver ascoltato dalla bocca di sua figlia la tecnica per rieducare l'abitudine al sonno, la nonna sbotta: "E siete andati dal dottore (avete letto un libro) solo per questo? Sciocchezze! Voi giovani non avete più pazienza. Noi sì che sapevamo come fare con i bambini."

Invece di intavolare una sterile discussione condita di battutine polemiche, cercate di mettervi nei suoi panni: vostra madre (o vostra suocera) appartiene a un'epoca in cui l'espressione 'ritmi biologici' non aveva maggior significato di uno scioglilingua. Quindi o non sa nulla sull'argomento o non capisce il perché della rigidità degli orari, dei tempi di attesa prima di entrare nella stanza, eccetera.

Se per qualche motivo i genitori della creatura non sono troppo sicuri su come agire, possono lasciarsi influenzare o cedere alle istanze nonnesche: "Per una volta che lo prendete in braccio non succederà mica il terremoto." Grave errore: una semplice concessione e addio al successo del metodo. Se appena appena il bambino intuisce che urlando un po' di più la nonna si schiera al suo fianco, comincerà a urlare fino a lasciarci i polmoni (e noi i timpani). Prendetelo in braccio e diverrà cieco, sordo e muto a qualsiasi sollecitazione. Perciò i terzi che vivono in casa (ivi inclusi i fratelli maggiori e, per chi ha la fortuna di averlo, il personale di servizio) devono essere avvertiti di non interferire in alcun modo nel programma di (ri)educazione. In altri termini, la nonna potrà rendersi utile nei soliti modi – facendo il bagnetto al piccolo, dandogli la cena, giocando con lui… – ma lascerà pista libera alla mamma e al papà nel momento fatidico di metterlo a letto.

Se, in mancanza assoluta di alternativa, la persona in oggetto dovrà anche farlo coricare, si impegnerà formalmente a rispettare i vostri criteri. Considerate che se agisce a suo piacimento tutti i vostri sforzi andranno in fumo. Insomma, non permettete mai agli altri di interferire anche se le loro intenzioni sono buone.

Il bambino si ammala durante il periodo d'istruzione

Spesso succede che poco dopo l'inizio del trattamento il bambino si ammali, talvolta in modo tanto serio da richiedere il ricovero in ospedale. Qui, soprattutto nell'ultimo caso, la situazione cambia sostanzialmente. Il più elementare senso delle priorità suggerisce che è più urgente curarlo che insegnargli a dormire.

Durante la malattia, quindi, la (ri)educazione si interrompe, ma non appena il piccolo sia guarito (e dimesso in caso di ricovero) dovrete riapplicare il metodo dall'inizio. Perché ricominciare da zero? Perché durante la malattia si è reso conto di come le vostre attenzioni nei suoi confronti si siano moltiplicate. Naturalmente non riesce a mettere in rapporto le vostre premure con le sue condizioni fisiche: secondo lui i genitori (e/o chi lo accudisce) lo coccolano in risposta alle sue azioni (vedi p. 63). Non capisce che se la mamma accorre quando lo sente piangere non lo fa in risposta al pianto, ma perché sa che soffre per la febbre, per il dolore o semplicemente perché sta scomodo. Allora che farà il bambino non appena i genitori avranno ripreso il programma di rieducazione? Piangerà come la fontana di Trevi aspettandosi che la mamma corra a consolarlo. Ma stavolta la mamma non ci andrà.

La vita del bambino è stata sconvolta da un evento più o meno traumatico: la separazione dei genitori, la nascita di un fratellino, oppure l'ingresso nella scuola materna, un trasloco…

Certe situazioni sono capaci di ostacolare l'applicazione del metodo. Alcune di esse, prima fra tutte la separazione dei genitori, sono molto gravi; altre, come il primo giorno di scuola materna, incomparabilmente meno. La rottura di un legame matrimoniale o di una convivenza è un fatto traumatico che, oltre a coinvolgere a fondo la coppia, si ripercuote fortemente sul bambino. Qualsiasi età abbia, il piccolo si rende conto di tutto quel che gli accade intorno. In certi momenti potrà sembrare che non se ne accorga o che non ne sia toccato ma purtroppo non è così; anzi, quando simula indifferenza lo fa per nascondere a se stesso l'angoscia che lo attanaglia.

In circostanze del genere è davvero arduo ottenere buoni risultati, perché il bambino approfitterà di ogni circostanza per 'sabotare' l'applicazione del metodo. I genitori che si separano nutrono sempre un profondo senso di colpa per il danno che intuiscono di infliggere ai figli: ora, che fanno se questi cominciano a piangere? Finiscono col trascurare i tempi di attesa e quasi sicuramente col mollare.

Un altro fattore in grado di alterare l'abitudine al sonno del bambino è la nascita di un fratello. Spesso un piccolo che dormiva bene o che era già stato rieducato all'abitudine di dormire regredisce non appena si rende conto di non essere più al centro dell'attenzione dei genitori. Bisogna aspettarsi che il piccolo principe deposto si ribelli. Una delle forme di protesta più comuni consiste nel dare un taglio alle buone abitudini acquisite: rifiuta il cibo, si fa la pipì addosso, inscena una tragedia greca all'ora di dormire… Sa bene quanto questi comportamenti disturberanno i genitori, costringendoli a volgere su di lui nuove attenzioni, tanto peggio se sotto forma di rimprovero. In questi casi bisogna ricominciare a insegnare l'abitudine senza badare alle manifestazioni di protesta del piccolo. È comunque essenziale aiutarlo ad accettare serenamente l'arrivo del fratellino. Per riuscirci bisogna prestargli molta attenzione durante il giorno, facendolo sentire molto amato e importante in seno alla famiglia. Tuttavia al momento di andare a letto dovete essere rigidi nell'applicare il metodo e, a prescindere dall'età, trattarlo come un neonato.

Altri eventi di minore importanza che possono ostacolare il successo della tecnica sono il primo ingresso nella scuola materna, un trasloco, la visita di un parente o il soggiorno in casa di persone che il bambino non conosce. Il piccolo approfitterà di qualunque situazione 'diversa' per sabotare con astuzia il programma di rieducazione. In questi casi, come sempre, dovrete mantenervi saldi. Prendiamo come esempio il primo giorno di asilo: oltre a prepararlo in anticipo all'avvenimento è consigliabile accogliere il suo rientro a casa con molte premure e magari con un regalino. Mai, però, cambiare il rituale che precede l'ora di andare a letto, né cedere se cerca di vanificare i vostri sforzi per rieducarlo. Vi salterebbe in mente di fargli succhiare la pappa con la cannuccia solo perché oggi è andato a scuola per la prima volta?

Uno dei genitori soffre di stati ansiosi di carattere patologico

Abbiamo sperimentato che talvolta l'impossibilità di applicare la nostra tecnica non dipende affatto dal bambino ma è dovuta all'ansia patologica di uno o di entrambi i genitori. Le persone che soffrono di disturbi ansiosi generalizzati sono molto insicure e vivono in uno stato di angoscia permanente. Questa patologia, che in genere va tenuta sotto controllo mediante una opportuna terapia, si riflette su ogni aspetto della vita: quindi non coinvolge soltanto l'insegnamento dell'abitudine al sonno, ma anche tutte le altre cose che riguardano il bambino (il cibo, le abitudini igieniche eccetera). Superfluo aggiungere che anche la dinamica di coppia ne risente negativamente. In presenza di una situazione del genere la rieducazione del bambino al sonno andrà incontro a un fiasco sicuro. Il metodo non può funzionare se uno o entrambi i genitori si sentono continuamente angosciati e insicuri nella sua applicazione. Concludendo, qui il problema non è del bambino ma del genitore divorato dall'ansia.

La famiglia si sposta nei fine settimana

Abbiamo già detto che, almeno durante i primi dieci giorni di trattamento, è sconsigliabile far dormire il bambino in un posto diverso dalla sua stanza. Tuttavia, se proprio non esiste alternativa, i cambiamenti dovranno essere limitati al massimo. Ciò significa che i suoi orari andranno rispettati alla lettera (non gli permetteremo di andare a letto più tardi solo perché siamo al fine settimana) e che ci porteremo sempre dietro la giostrina, il disegno, la copertina, i succhiotti e soprattutto Dodo. Conclusione: il posto dove dormirà il bambino dovrà assomigliare il più possibile alla sua stanza.

Un viaggio ha provocato un cambiamento rilevante nei suoi orari

I lunghi viaggi in aereo, con i conseguenti mutamenti di fuso orario, possono causare scompensi nell'adulto come nel bambino. L'orologio biologico di quest'ultimo è più lento ad adattarsi al ritmo della nuova località: di conseguenza bisognerà rassegnarsi a non intraprendere la rieducazione prima di una decina di giorni.

I falsi problemi

I falsi problemi sono le scuse con cui i genitori giustificano il fatto di non essere riusciti a rieducare l'abitudine al sonno del loro bambino. Sono fondamentalmente tre.

"Mio figlio è molto nervoso"

Grosso errore. È vero che i bambini molto inquieti hanno più difficoltà ad apprendere certe abitudini, ma altrettanto vero è che quando un bambino dorme male non cede alla stanchezza, anzi si eccita. Perciò è falso che non dorma per inquietudine; al contrario è nervoso perché non riposa bene. Se dorme le sue dodici ore filate, fa il suo pisolino pomeridiano e una volta sveglio si mostra iperattivo potete dedurre che è nervoso, ma se non dorme la vostra conclusione è indebita. Nervoso o tranquillo che sia, un bambino può imparare a mangiare, a lavarsi i denti, a mettere in ordine le sue cose, a dormire bene. Basta che i genitori gli insegnino a farlo nel modo corretto.

"La notte non riesce a star senza mangiare"

Quando si chiede ai genitori come sanno che il loro bambino ha fame, di solito rispondono: "Perché piange e dandogli il biberon si calma." Ebbene, sbagliano di grosso. Come gli adulti, i bambini sono capacissimi di mangiare senza fame. Fin dai sei mesi di vita il piccolo riesce a regolare perfettamente la propria curva glicemica (cioè la quantità di zuccheri presenti nel sangue nell'arco della giornata). Se viene nutrito alle 8, alle 12, alle 16 e alle 20 con le quantità consigliate dal pediatra, durante la notte non avrà sensazione di fame e dovrà quindi poter resistere senza mangiare (vedi p. 40). Perciò, quando si sveglia piangendo e, vedendosi offrire subito il biberon o il seno, si calma di botto, molto probabilmente non prova alcun bisogno di nutrirsi. In compenso è riuscito in ciò che voleva: stare un po' con i genitori.

"Il mio bambino si sveglia perché gli succede qualcosa"

I genitori cercano sempre di spiegare i risvegli del loro piccolo: una volta gli fa male la pancia, un'altra ha preso freddo, un'altra ancora gli stanno spuntando i dentini. In realtà un risveglio notturno non è necessariamente l'indizio di un qualche malessere. È logico volersi assicurare che non abbia la febbre o che non sia sudato o sporco; ma se tutto appare normale e il bambino si calma quando gli adulti lo prendono in braccio siamo di fronte a una chiara manifestazione d'insonnia infantile dovuta ad abitudini scorrette. Ormai sapete che tutti, bambini e adulti, si destano diverse volte per notte e che, se non percepiscono nell'ambiente qualche variazione di rilievo, riprendono subito a dormire, scordando poi completamente quelle brevi pause del sonno. Quando un bambino non ha imparato a dormire bene, a ciascuno di questi risvegli reclamerà la presenza di chi lo accudisce per venir aiutato a riaddormentarsi. Se questo è il caso del vostro bambino vi consigliamo di rileggere i capitoli II e IV di questo libro.

Note

Capitolo I

1 In alcuni casi – pochi, per fortuna – i genitori finiscono col prendersela con i figli, contro i quali manifestano atteggiamenti aggressivi a parole o, peggio, con violenze fisiche.

Capitolo II

1 Questi casi sono veri: come tutti quelli che riferiamo in queste pagine appartengono alla storia di alcuni nostri pazienti a cui, per ovvi motivi di riservatezza, abbiamo cambiato i nomi.

2 Di solito i bambini con problemi di sonno cominciano a parlare molto presto: imparano alcune parole chiave per farsi prendere in considerazione dai genitori. Chi negherebbe un sorso d'acqua a un piccolo assetato? Il fatto è che con tutta probabilità non ha sete.

3 I bambini di oltre sei mesi che non hanno ancora acquisito una buona abitudine al sonno restano di solito insonni a vita. Se questo è il caso di vostro figlio non preoccupatevi: nel capitolo IV vi spieghiamo come insegnargli a dormire.

Capitolo III

1 Per saperne di più su ciò che è 'normale' o meno leggete con attenzione il capitolo V, "Questioni orarie".

2 Di solito farà due pisolini: il primo (da una a due ore) dopo la colazione, il secondo (da due a tre ore) dopo il pranzo.

3   Per farlo andrà applicata la tecnica che abbiamo spiegato nel capitolo IV. Se si sveglia una o due volte non si può definire affetto da un disturbo del sonno; potrete comunque rieducarlo.

4   Il trucco di farlo stancare fino alla resa è controproducente. La sonnolenza insorge in seguito al rilassamento; al contrario, quando vogliamo stancarlo lo sovreccitiamo.

Capitolo IV

1   Prima di mettervi a imprecare perché il vostro piccolo dorme di meno sappiate che forse questa è la sua necessità naturale (si veda il capitolo V).

2   Se il bambino si sveglia solo una o due volte per notte non si può parlare di insonnia infantile né ci si deve allarmare. Ciò non significa che il piccolo non vada rieducato a dormire senza soluzione di continuità. Anche i genitori hanno il diritto di riposare senza interruzioni!

3   Di fatto dovreste convincervi che quel che state facendo è corretto e che funzionerà. Non per niente la nostra tecnica ha avuto successo nel 96% dei casi a cui è stata applicata. Poiché gli unici problemi sono sorti nelle famiglie incapaci di mantenersi salde e coerenti nel loro atteggiamento, vi raccomandiamo di mostrarvi sempre sicuri e rilassati con il bambino.

4   Se per motivi di lavoro tornate tardi a casa e il bambino viene abitualmente messo a letto da una terza persona, sarà quest'ultima a doverlo rieducare. In definitiva non importa chi se ne assume la responsabilità: basta che chi lo fa lo faccia bene.

Capitolo VI

1   Per quanto l'enuresi notturna (cioè l'abitudine di fare la pipì a letto) avvenga mentre il bambino è addormentato, non si tratta di un disturbo legato al sonno: per questo non viene trattato dagli specialisti del sonno ma dal pediatra.

2   Se il bambino dorme dalle 20 fino alle 8 del mattino seguente, la prima metà della notte è quella che va dall'ora di coricarsi alle 2.

Profilo del dottor Estivill

Il dottor Eduard Estivill dirige l'Unidad de Alteraciones del Sueño dell'Istituto Dexeus di Barcellona. Nel suo ambulatorio vengono trattati tutti i disturbi del sonno, tra i quali l'insonnia di bambini e adulti, i russamenti con o senza apnee (arresti respiratori durante il sonno), il sonnambulismo, le fobie notturne, il *jet-lag* (cioè gli scompensi da cambiamento di fuso orario), la narcolessia eccetera. I suoi pazienti (in media duemila all'anno) sono persone che non dormono, che dormono troppo o che non lasciano dormire gli altri. Nel suo lavoro, assurto ormai a fama mondiale, Estivill è assistito da tre validi collaboratori: il dottor Barraquer, il dottor Cilveti e il dottor De la Fuente. L'intero staff partecipa attivamente ai programmi di ricerca, effettua prove cliniche di nuovi farmaci e, attraverso i mass media, svolge un'imponente opera di divulgazione sulla patologia del sonno. L'Unidad dispone infine di un servizio di consulenza e informazione a cui le persone affette da un disturbo specifico possono rivolgersi per valutare l'opportunità di una visita.

Unidad de Alteraciones del Sueño
Paseo Bonanova, 61 bajos
08017 Barcelona
España

Nella stessa collana

Fate la pappa

Come risolvere i problemi
del vostro bambino a tavola
e farlo mangiare felice

di Mirella Cerato
isbn 978-88-7461-121-8

Ho fatto la dieta

Come scoprire perché
non si riesce a seguire
uno schema alimentare

di Daria Grani
isbn 978-88-7461-148-5

Facciamola finita!

Appello urgente
ai genitori

di Paolo Sarti
isbn 978-88-7461-160-7

Mamma che denti

Guida pratica
alla salute dei denti
del tuo bambino

di Guido Benedetti
isbn 978-88-7461-169-0

Stampa: Alpilito - Firenze
giugno 2005